Die dr

Chaos vo

STECKBRIEF
Name:
Justus Jonas
Alter:
10 Jahre
Adresse:
Rocky Beach, USA
was ich mag:
essen, lesen, unbeantwortete
Fragen + Rätsel aller Art, Schrott
was ich nicht mag:
wenn ich Pummelchen
werde, für Tante Mathilda
was ich mal werden will:
Kriminologe
Kennzeichen:
das weiße Fragezeichen

was ich mag:
schwimmen
Justus und
was ich nicht mag:
für Tante
räumen,
was ich mal werden
100 Jahre
Kennzeichen:
blaues

STECKBRIEF

Name:
Bob Andrews

Alter:
10 J.

Adresse:
Rocky Beach

was ich mag:
Musik hören, ins Kino gehen, in Büchereien stöbern, Cola

was ich nicht mag:
für Tante Mathilda aufräumen, Spinnen

was ich mal werden will:
Reporter und Detektiv

Kennzeichen:
rotes?

KBRIEF

haw

ahre

Beach

athletik

lda auf-
ufgaben

ktif

chen

Dieses Buch gehört:

Name:

Alter:

Adresse:

Ulf Blanck, 1962 in Hamburg geboren, hat neben seinem Architekturstudium zwölf Jahre lang in einer Theatergruppe gespielt und dabei sein Interesse für Bühnenstücke und das Hörspiel entdeckt. Heute arbeitet er als Moderator und Comedy-Autor bei verschiedenen Hörfunksendern. ›Chaos vor der Kamera‹ ist ein neues spannendes Abenteuer mit dem berühmten Detektivtrio Justus, Peter und Bob – für jüngere Leser ab acht Jahren.

Die drei ???® *Kids*

Chaos vor der Kamera

Erzählt von Ulf Blanck

Mit Illustrationen von Stefanie Wegner

Deutscher Taschenbuch Verlag

Weitere ›Die drei ???® *Kids*‹-Bände
sowie das gesamte lieferbare Programm
von dtv junior finden sich unter
www.dtvjunior.de

Ungekürzte Ausgabe
6. Auflage 2011
2004 Deutscher Taschenbuch Verlag GmbH & Co. KG,
München

Based on characters by Robert Arthur
Umschlagkonzept: Balk & Brumshagen
Umschlagbild: Stefanie Wegner
Satz: Fotosatz Reinhard Amann, Aichstetten
Gesetzt aus der Advert 11/18˙
Druck und Bindung: Druckerei C. H. Beck, Nördlingen
Printed in Germany · ISBN 978-3-423-70885-2

Chaos vor der Kamera

Schrotträtsel

Justus Jonas stand der Schweiß auf der Stirn. Seit Stunden wühlte er mit seinen beiden Freunden Bob und Peter im Schrott. Knietief standen sie inmitten von verrosteten Eisenteilen, kaputten Klimaanlagen und ausgedienten Computern. Die kalifornische Sonne brannte unerbittlich und es war eigentlich ein denkbar schlechter Tag, um den Schrottplatz aufzuräumen.

»Wer noch mal Schrott zu meinem Schrott sagt, der soll mich kennen lernen«, rief ihnen Onkel Titus von der Veranda zu und lachte. »Das hier ist kein Schrott, das sind alles Wertstoffe!«

Den drei Freunden war das egal. Sie sortierten fleißig ausgediente Küchenmaschinen und stapelten Berge von alten Autoreifen übereinander. Viel Spaß machte es nicht, aber das war eine Möglichkeit, das Taschengeld aufzubessern – und Onkel Titus zahlte gut.

Peter Shaw zog seine dicken Handschuhe aus und wischte sich damit das Gesicht ab. »Wertstoffe! So ein Quatsch. Wer soll denn damit was anfangen können? Für mich ist das alles Gerümpel! Alter Plunder, den niemand mehr braucht. Kurz gesagt: Müll.« Mit diesen Worten trat er gegen eine alte Milchkanne.

In hohem Bogen flog sie durch die Luft und landete direkt in Bobs Händen. Bob Andrews war der Dritte im Bunde. Er rückte seine Brille zurecht und beäugte die Kanne.

»Mein lieber Peter«, erklärte er schmunzelnd. »Das, was du hier siehst, ist sicher kein vergammelter Blechklumpen. Nein, es könnte auch der historische Kaffeepott von Buffalo Bill sein. Millionen wert und unersetzbar.«

Peter, Bob und Justus mussten so laut lachen, dass Onkel Titus seine Zeitung weglegte und auf sie zukam.

»Also, Jungs«, sagte er beherrscht, »ihr braucht euch gar nicht über mich lustig zu machen. Erstens könnt ihr froh sein, dass ihr bei mir Geld verdient, und zweitens ... zweitens könnte das wirklich der Kaffeepott von Buffalo Bill sein. Gib mal her, Bob!«

Justus war schneller und grabschte sich die Kanne. »Das glaube ich kaum«, erklärte er, nachdem er sie untersucht hatte. »Es sei denn, Buffalo Bill ist über 150 Jahre alt geworden.«

»Wie kommst du denn darauf, Just?«, fragte Peter erstaunt.

»Weil hier unten am Boden eine Jahreszahl eingestanzt wurde: 1981.«

Onkel Titus sah seinen Neffen herausfordernd an, dann legte er ihm die Hand auf die Schulter. »Na schön, du Meisterdetektiv. Sehen wir doch mal, ob du bei einem anderen Fall genauso scharf kombinieren kannst. Kommt mal mit, ich will euch was zeigen!«

Onkel Titus führte sie zu einer großen grünen Plane am Rande des Schrottplatzes. »Helft mir mal das Ding wegzuziehen!«, sagte er und packte die Plane. Stück für Stück kam ein völlig zerstörtes Schrottauto zum Vorschein.

»Oh, Mann, wie ist denn das passiert?«, rief Peter entsetzt.

»Tja, das müsst ihr herausfinden. Der Wagen steht hier schon seit einer Ewigkeit herum. Wie ist

es: Schafft ihr es, dem Autowrack sein Geheimnis zu entlocken?«

Diese Herausforderung mussten die drei ??? natürlich annehmen. Ein solches Rätsel war ganz nach ihrem Geschmack, denn schließlich waren unbeantwortete Fragen ihr Spezialgebiet.

»Gut, wir übernehmen den Fall«, sprach Justus mit ernster Miene und Onkel Titus ging grinsend zurück auf die Veranda. Sofort machte sich das jüngste Detektivteam der Welt ans Werk und sie begannen mit ihrer Untersuchung.

Die gesamte vordere Hälfte des Autos war völlig zusammengedrückt. Die Motorhaube lag wie eine Ziehharmonika gefaltet direkt vor der zersplitterten Windschutzscheibe.

»Das sieht aus, als sei der Wagen mit 100 gegen eine Wand geknallt.« Peter musterte das Wrack unbehaglich.

Bob warf vorsichtig einen Blick ins Innere. »Man kann nur froh sein, dass keiner im Auto saß.«

»Woher willst du das wissen?«, fragte Peter.

Justus sah von der anderen Seite in den Wagen. »Wahrscheinlich hat Bob das Gleiche entdeckt wie ich. Die Gurte sind alle zurückgerollt. Die Türen sind verschlossen und der Schlüssel steckt nicht.«

»Vielleicht war das Ding ferngesteuert?«, überlegte Peter und rüttelte an der Tür.

Justus knetete seine Unterlippe und betrachtete die eingedrückte Vorderseite. »Wenn der Wagen gegen eine Wand gekracht ist, dann gegen keine aus Stein. Hier vorne kleben lauter Erdklumpen und vertrocknete Grasbüschel. Als ob das Ding vom Himmel auf eine Wiese gefallen ist.«

»Vom Himmel gefallen?«, wiederholte Bob ungläubig. »Dann ist es eindeutig ein UFO. Alles Unsinn mit den fliegenden Untertassen. Die Marsmenschen haben genau die gleichen Fahrzeuge wie wir.« Peter und er kringelten sich vor Lachen.

Justus fand das nicht lustig. »Werft lieber einen Blick auf die Handbremse. Die ist nicht angezogen und es ist auch kein Gang eingelegt.«

»Stimmt, der Wagen konnte so einfach wegrollen«, stellte auch Peter fest.

Die drei ??? hockten sich auf eine alte Gasflasche und berieten. Vom Pazifik her kam eine leichte Brise und wehte angenehm kühl über den Schrottplatz. Nach einer Weile gingen die jungen Detektive zur Veranda und setzten sich zu Onkel Titus an den großen runden Tisch.

»Na, waren eure Untersuchungen erfolgreich?«, grinste er sie an.

Justus kräuselte die Stirn und begann: »Also, wir glauben, dass sich die Geschichte so zugetragen hat: Jemand stellte diesen Wagen an einer geneigten Straße ab. Er oder sie verschloss die Tür und ging einkaufen oder so was. Leider vergaß diese Person die Handbremse zu ziehen und den Gang einzulegen. Das Auto begann zu rollen, donnerte die Straße runter und muss dann von einer Brücke oder so ähnlich direkt auf eine Wiese gefallen sein.«

»... aus mindestens fünf Meter Höhe«, ergänzte Peter.

Alle schauten gespannt auf Onkel Titus. Behutsam nahm dieser seine Brille ab und putzte sie umständlich. »Ich will mal so sagen, meine Herren Kriminalinspektoren: Die Sache könnte sich so zugetragen haben.«

»Was heißt hier könnte?«, rief Bob laut dazwischen.

»Na ja«, fuhr Onkel Titus fort. »Ich sagte ›könnte‹, weil ich selbst keine Ahnung hab, was da passiert ist. Der Wagen stand schon vor meiner Zeit hier.«

Seine Mundwinkel zuckten belustigt und schließlich musste er so laut lachen, dass er beinahe vom Stuhl fiel.

Justus war jetzt richtig aufgebracht: »Das ist unfair! Wir hatten von Anfang an keine Chance!«

Onkel Titus wischte sich die Tränen aus den Augen und versuchte ihn zu beruhigen. »Sei mir bitte nicht böse, Justus. Vielleicht stimmt eure Geschichte ja. Und solange keiner das Gegenteil beweisen kann, entspricht sie der Wahrheit.«

In diesem Moment kam Tante Mathilda auf die Veranda und hielt einen duftenden Kirschkuchen in den Händen.

»Schluss mit den Geschichten, jetzt gibt es was zu essen!«, rief sie munter.

Sekunden später stopften sich alle drei mit Kuchen voll und Justus sicherte sich gleich ein zweites Stück. »Das ist für mich Wahrheit«, lachte er mit vollen Backen und zeigte vergnügt auf den Kuchen.

Plötzlich hörten sie von der Straße ein lautes Reifenquietschen.

Szenenwechsel

»Da hat jemand eine Vollbremsung gemacht«, vermutete Bob und blickte zum großen Eingangstor. Sie hörten, wie ein Wagen zurücksetzte, und kurz darauf hielt eine schwere Limousine direkt vor dem Wohnhaus. Eilig stiegen zwei Männer aus und zeigten aufgeregt auf den Schrottplatz. Einer der beiden, ein etwas dicklicher Mann mit weißem Hut, blickte zur Veranda und kam dann auf sie zu.

»Was wollen die denn hier?«, murmelte Tante Mathilda.

»Guten Tag. Mein Name ist Jerry Blake. Ich bin Produzent und Regisseur bei den Atlas Filmstudios in Hollywood. Zurzeit drehen wir den Actionfilm ›Gefährliche Stunts‹. Wir suchen dringend einen passenden Drehort für unsere wichtigste Szene. Mit einem Wort: Dieses Gelände hier passt wie die Faust aufs Auge. Was sagen Sie dazu?«

Tante Mathilda fiel fast die Kuchengabel aus der Hand. »Was, bitte, heißt das?«, fragte sie entgeistert.

»Es ist doch ganz einfach. Morgen früh rückt mein Filmteam an und nach drei, vier Tagen ist die Sache im Kasten. Eigentlich sollte die Szene auf einer öffentlichen Müllkippe gedreht werden. Doch leider wurde die Genehmigung im letzten Moment zurückgezogen.«

Onkel Titus stand auf und ging auf ihn zu. »Was sind denn das für Szenen?«, fragte er neugierig.

Blake legte ihm die Hand auf die Schulter und deutete auf den Schrottplatz. »Also, die Sache läuft so ab: Genau hier vorn bauen wir eine Rampe. Über diese rast ein offener Jeep, fliegt 30, 40 Meter über den ganzen Schrott, explodiert und landet dahinten in dem Gerümpel. Ein echter Filmstunt eben.«

Onkel Titus' Gesicht lief rot an: »Mister Blake, erstens ist das, was Sie hier sehen, kein Schrott, sondern Wertstoff und zweitens ...«

In diesem Moment drückte ihm Jerry Blake ein Bündel Banknoten in die Hand.

»... und zweitens ... und zweitens wollte ich schon immer bei Filmaufnahmen zugucken.«

»Titus, du wirst doch wohl nicht erlauben, dass

bei uns brennende Autos durch die Luft fliegen!«, herrschte Tante Mathilde ihn an. Onkel Titus wurde nervös und umklammerte das Geldbündel.

»Bitte, Tante Mathilda«, platzte Justus heraus, »bitte ... für uns wäre es das Größte, bei Stuntaufnahmen dabei zu sein.« Peter und Bob nickten begeistert. »Und vielleicht werden wir alle zur Premiere nach Hollywood eingeladen?«

Jerry Blake verstand den Wink und er griff nach Tante Mathildas Hand: »Es wäre mir eine große Ehre, Sie als persönlichen Gast in Hollywood begrüßen zu dürfen, Madame.«

»Oh, aber das ...«, stammelte Tante Mathilda errötend und sank langsam auf ihren Stuhl.

Blake lachte frohlockend und zündete sich eine Zigarre an: »Ach, fast hätte ich es vergessen. Der nette Mensch neben mir ist Alan Burns. Der beste Stuntman, den Sie kriegen können. Er wird den Sprung mit dem Auto wagen. Verrückter Kerl.« Burns schob seine Mütze zurecht und nickte freundlich.

Dann verabschiedeten sie sich und kehrten zu ihrer Limousine zurück. Jerry Blake drehte sich noch mal grinsend um: »Ach ja, wenn was schief geht, keine Angst, alles bestens versichert.« Dann waren sie so schnell weg, wie sie gekommen waren.

Justus, Peter und Bob strahlten vor Aufregung und konnten es gar nicht fassen. Ein Ferientag, der so langweilig begonnen hatte, endete plötzlich in einem spannenden Abenteuer.

Am nächsten Morgen lag Justus noch im Bett, als draußen die ersten Lastwagen auf das Grundstück rollten. Mit einem Satz sprang er auf und sah aus

dem Fenster. Tatsächlich, da waren sie. Unten im Hof wimmelte es von Menschen. Sie liefen hektisch umher und riefen wild durcheinander. Justus öffnete das Fenster und Jerry Blake brüllte gerade in ein großes Megafon: »Zack, zack, nicht so langsam hier vorn! Der ganze Krempel muss vom Lastwagen runter. Wir haben nicht ewig Zeit und Zeit kostet Geld. Nicht einschlafen, Männer!«

Aufgeregt rannte Justus die Treppe hinunter und stürzte direkt in Tante Mathildas Arme.

»Du lieber Himmel, hast du das gesehen?«, jammerte sie und schlug die Hände über dem Kopf zusammen. »Hätte ich das bloß nicht erlaubt. Die fahren mir die ganzen Rosen platt. Ich kann das nicht mit ansehen. Dein Onkel und ich verschwinden in die Stadt zum Einkaufen.«

Doch Justus hörte kaum zu. Bevor Tante Mathilda ihn aufhalten konnte, war er schon durch die Haustür gesaust und stand nun auf der Veranda. Der ganze Hof war übersät mit merkwürdigen Stahlplatten, Eisenrohren, Scheinwerfern und Kabeltrommeln.

»Guten Morgen«, wurde er von Alan Burns

begrüßt. Der Stuntman lehnte mit einem Pappbecher Kaffee in der Hand am Treppengeländer. In diesem Moment kamen auch Peter und Bob auf ihren Fahrrädern angerast.

»He, Just, hier ist ja schon jede Menge los!«, rief Peter ihm entgegen. »Guten Morgen, Mister Burns. Ich bin Peter Shaw.«

»Bob Andrews. Ich freue mich den berühmtesten Stuntman der Welt kennen zu lernen.«

Alan Burns wurde etwas verlegen. »Berühmt wird ein Stuntman nie – nur die, die er doubelt.«

»Dann riskieren Sie Ihr Leben und der Schauspieler erntet den Applaus. Nicht ganz gerecht, denk ich mir«, bemerkte Justus.

Der Stuntman zerdrückte seinen Pappbecher und setzte sich eine Sonnenbrille auf. »Wisst ihr, ich bin ganz froh, dass ich niemals berühmt werde. Wenn ich im Supermarkt an der Kasse stehe, quatscht mich keiner voll und ich hab meine Ruhe.«

»Haben Sie keine Angst, dass irgendwas passiert bei Ihren Stunts?«, wollte Peter wissen.

»Es ist weniger Angst, ich hab Respekt vor der Gefahr. Nur wer diese ignoriert, lebt gefährlich. Ein guter Stuntman versucht jedes Risiko zu vermeiden. Die Sache wird bis ins letzte Detail durchdacht und geprobt. Ein Fehler genügt und das war's.«

»Und welchen Hollywood-Star werden Sie doubeln, Mister Burns?«, fragte Bob.

Der Stuntmann wollte gerade antworten, als eine lange weiße Limousine auf den Hof fuhr. Die Reifen knirschten auf dem Schotterweg.

»Der Hollywood-Star sitzt da drin«, antwortete Burns und zeigte auf die verspiegelten Autofenster.

Der Fahrer der Limousine stieg aus und öffnete die Tür. Und zum Vorschein kam ein langes Bein mit roten Stöckelschuhen.

»Das ist ja eine Frau?«, entfuhr es Bob.

Burns nahm seine Sonnenbrille ab. »Und was für eine. Ihr kennt sie garantiert aus diversen Filmen.«

Bob bekam den Mund nicht mehr zu. »Unglaublich, das ist Claudia Donnatelli?«

»Das haut dich um, was?« Burns grinste ihn an und Bob wurde rot.

»Aber wie können Sie eine Frau spielen?«

Der Stuntman griff in die Tasche seines Overalls und zog eine Perücke heraus. »Ganz einfach. Ich stülp mir so einen blonden Wischmopp über die Birne und schon sehe ich von weitem aus wie die da.« Mit diesen Worten setzte er Bob die Perücke auf den Kopf und alle mussten laut loslachen – alle außer Bob.

Filmsternchen

Jerry Blake kam sofort auf sie zugerannt. »Claudia, meine Liebe, wie geht es dir?«

Die Schauspielerin setzte sich einen großen weißen Hut auf und fächerte sich mit der Hand Luft zu. »Ich hasse diese Außendrehs. Wieso können wir die Sache nicht im kühlen Studio aufnehmen?«

»Weil wir kein Studio haben, in dem man vierzig Meter mit einem Auto durch die Luft fliegen kann. Aber keine Angst, wir brauchen heute nur ein paar Großaufnahmen von dir im Geländewagen. Den Rest macht unser Alan.«

Claudia Donnatelli knallte die Tür der Limousine zu. »Was? Ich werde von einem Mann gedoubelt?? Willst du mich beleidigen, Jerry?«

Der Produzent blinzelte nervös: »Nicht aufregen, meine Liebste. Alan ist der Beste, den man kriegen kann. So einen Sprung schafft nur er. Und du willst doch, dass es perfekt wird, oder?«

»Na schön.« Claudia Donnatelli beruhigte sich

wieder. »Lass ich mich überraschen. Wo ist mein Wagen? Ich muss mich schminken.«

Jerry Blake zeigte auf ein riesiges Wohnmobil und die Schauspielerin verschwand hinter einer Tür mit einem goldenen Stern.

Alan Burns schüttelte den Kopf: »Die sind alle gleich, diese Verrückten aus Hollywood. Jeder von ihnen glaubt, ohne sie ginge die Sonne nicht mehr auf – und Claudia ist die Schlimmste.« Er nahm Bob die Perücke wieder vom Kopf und spuckte in die Hände. »Was soll's, wir müssen loslegen.«

Neugierig liefen die drei Freunde ihm hinterher.

Am Ende des Schrottplatzes wurde gerade der knallrote Jeep von einem Anhänger abgeladen.

»Helft mir mal, Jungs. Das Baby hier muss auf Position gebracht werden. Wir schieben den Wagen mit Schwung auf dieses kleine Podest. Aber macht mir keine Kratzer in den Lack! – So ein Jeep ist nicht ganz billig.«

Mit vereinten Kräften bugsierten sie das Auto an die richtige Stelle. Justus wischte sich den Schweiß aus dem Gesicht: »Ich versteh das aber nicht ganz. Ich denke, der Wagen soll über eine Rampe fliegen?«, fragte er atemlos.

Burns öffnete die Fahrertür und setzte sich hinein. »Okay, ich erkläre euch das mal. Der ganze Film besteht aus tausenden von einzelnen Aufnahmen. Nur drehen wir die Szenen natürlich nicht hintereinander weg, sondern so, wie es am sinnvollsten ist. Bei diesem Stunt filmen wir erst die Landung. Der Wagen hüpft dazu nur leicht von diesem Podest runter. Bei dem richtigen Sprung wird der Jeep nämlich einiges abbekommen, wenn er aufschlägt – so soll es im Kino aber nicht aussehen. Morgen drehen wir den Flug über den Schrottplatz und am Ende werden die Szenen passend zusammengeschnitten.« Dass ein Film am Ende geschnitten wird, wussten die drei natürlich, aber aus Höflichkeit blickten sie Burns staunend an.

»Und was ist mit der Explosion?«, wollte Bob wissen.

Der Stuntman stieg wieder aus dem Wagen und zeigte auf die Ladefläche: »Dazu müsst ihr mal hier reingucken, Jungs. Der schwarze Kasten da vorn mit den Drähten und der Funkantenne ist unsere Bumm-bumm-Maschine.«

Peter wich ein Stück zurück: »Kann das Ding jetzt losgehen?«

Burns beruhigte ihn: »Keine Angst, erst wenn ich den Apparat scharf stelle, macht es Puff. So, und jetzt brauche ich ein bisschen Platz. Wenn ihr Lust habt, könnt ihr ja zugucken, wie sie den Set – also den Drehort – hier einrichten. Nachher gibt es Mittagessen für die Crew hinter dem großen LKW dahinten. Falls ihr Hunger habt, könnt ihr auch kommen.«

Justus war begeistert. »Und wie wir Hunger haben werden.«

In den nächsten Stunden wurden immer mehr Geräte in die Nähe des Jeeps gebracht. Um ihn herum standen viele Scheinwerfer und mehrere Kameras nahmen ihn von allen Seiten ins Visier.

Bob setzte sich auf die Stufen der Veranda und putzte seine Brille: »Also, Filmaufnahmen hätte ich mir spannender vorgestellt. Die meiste Zeit muss man warten.«

Zu Mittag versammelte sich die gesamte Crew hinter dem Lastwagen und aß Pizza.

Justus blickte kurz von seinem Teller hoch: »Guckt mal, Jerry Blake verschwindet mit seinem Essen«, bemerkte er.

Alan Burns spuckte einen Olivenkern aus und flüsterte Justus ins Ohr: »Der bringt die Pizza bestimmt seiner lieben Claudia ins Wohnmobil. Die Donnatelli ist sich ja zu fein, hier mit uns am Tisch zu sitzen. Aber seht mal, wer dafür kommt: Unser geschätzter Kameramann, Jim Norton. Wie immer zu spät.«

Schweigend setzte sich der Kameramann und begann zu essen. Er würdigte Alan Burns keines Blickes und grummelte nur etwas Unverständliches.

Nach der Pause wurde es dann ernst. Plötzlich herrschte auf dem Platz hektisches Treiben. Jerry Blake, der Produzent und Regisseur, brüllte ins Megafon: »So, alle auf ihre Plätze! Wir drehen die Landung vom Jeep. Ich erwarte vollen Einsatz, Pannen können wir uns nicht erlauben!«

Der Stuntman zog die blonde Perücke aus dem Overall und setzte sie auf den Kopf. »Wer von euch dreien dazu einen dummen Spruch macht, der muss mit auf den Beifahrersitz«, lachte er.

Peter blickte erschrocken auf: »Wieso, ich denke, die Sache ist völlig ungefährlich?«

»Das schon, aber nur dann, wenn man gut vorbereitet ist. Seht ihr da vorn meine beiden Kollegen?« Die drei ??? entdeckten zwei Männer in silberfarbenen Schutzanzügen und Helmen. »Das ist meine private Feuerwehr. Sowie ich aus dem Jeep raus bin, löschen die mit ihren Feuerlöschern den Brandsatz auf der Ladefläche. Ihr wisst schon, meine Bumm-bumm-Maschine. Die ist aber völlig harmlos, wenn sie sofort nach dem Knall ausgepustet wird.«

Plötzlich hörte man wieder Jerry Blake durchs Megafon plärren: »Noch eine Minute. Alle aus dem Bild. Alan, sieh zu, dass du in den Wagen kommst. Jim Norton, sind deine Kameras in Stellung? Volle Konzentration bitte. Die Leute mit den Feuerlöschern: Haltet euch bereit ... und Action, bitte!«

Dann ging alles sehr schnell. Der Stuntman beschleunigte den Jeep. Im gleichen Moment zündete er den Brandsatz auf der Ladefläche. Es gab einen Knall und eine helle Stichflamme stieg empor. Die Reifen quietschten und mit einem kleinen Hüpfer schoss der Wagen vom Podest und landete elegant auf dem Kiesweg. Burns riss die Tür auf, hechtete ins Freie und rollte sich ab.

»Schnitt, Schnitt! Das war perfekt!«, schrie Jerry Blake begeistert. »Absolut perfekt. Ich liebe euch.«

Gleichzeitig rannten die beiden Männer in den Anzügen mit den Feuerlöschern zum qualmenden Fahrzeug. Alan Burns war schon zur Stelle: »Los jetzt, zeigt, was ihr könnt, bevor unser Baby in

Rauch aufgeht!«, trieb er sie an. Die beiden Männer drückten auf die Hebel an den Löschern – doch nichts geschah.

»Verdammter Mist, was ist hier los?«

Das Feuer auf der Ladefläche breitete sich mittlerweile aus und setzte einen Hinterreifen in Brand. Beißender Qualm stieg auf und die Hitze war weithin spürbar. Justus und Bob hielten sich schützend die Hände vors Gesicht, während Peter hinter einem alten Ölfass fassungslos die Szene betrachtete: »Ich glaube es nicht, die Karre fackelt ab.«

Feuer und Flamme

»Alles in Deckung!«, schrie der Stuntman panisch. »Er kann jeden Moment explodieren!« Jeder rannte um sein Leben und brachte sich in Sicherheit.

»Los, Jungs, legt euch flach auf den Boden und haltet die Hände über eure Köpfe!«, kommandierte Burns die drei ??? und hechtete mit einem Satz zu ihnen.

Das Feuer fraß sich in diesem Moment bis zum Benzintank durch. Man hörte ein leises Zischen und mit einem gewaltigen Knall explodierte der Jeep. Eine riesige Rauchwolke stieg auf und brennende Teile rieselten wie Fackeln auf den Schrottplatz.

»Mein Gott, was für ein Rumms!«, entfuhr es Bob.

»Unten bleiben!«, brüllte Burns ihn an.

Nach einer Ewigkeit, wie es schien, war alles vorbei. Nur noch leise loderten die Flammen über dem zerstörten Wagen. Langsam kamen alle aus ihren Verstecken.

Jerry Blake stand vor dem Autowrack: »Sind alle

okay?« Keiner antwortete ihm. Der ausgestandene Schreck stand allen ins Gesicht geschrieben.

Jim Norton rannte zu seiner Kamera. »Verdammt, sie ist nicht weitergelaufen. Fast hätte ich alles aufgenommen. Die ganze verdammte Explosion. Das wäre Wahnsinn gewesen, echter Wahnsinn. Verdammt noch mal.« Enttäuscht setzte er sich auf den Boden und starrte vor sich hin.

Gleichzeitig öffnete sich die Tür des Wohnmobils. Claudia Donnatelli stand mit Lockenwicklern im

Haar aufgeregt im Eingang: »Was ist passiert? Der Knall stand gar nicht im Drehbuch. Jerry, was machst du wieder für Sachen? Erst bekommt man nichts zu essen und dann so was! In Hollywood wäre das nicht passiert.« Mit einem lauten Krachen zog sie die Tür wieder hinter sich zu.

Alan Burns schüttelte einen der Feuerlöscher: »Das gibt es nicht!«, tobte er plötzlich aufgebracht. »Das kann nicht sein! Die Dinger sind leer! Die sind einfach leer! Das ist unmöglich! Ich habe sie vor dem Stunt überprüft. Absolut unmöglich!« Außer sich vor Wut schmiss er den Löscher scheppernd in einen Stapel verrosteter Radkappen.

Der Produzent betrachtete ihn nachdenklich: »Alan, ich halte sehr viel von dir. Versuch jetzt aber bitte nicht deine Schuld auf andere zu schieben. Du hast einfach nicht richtig kontrolliert. So etwas darf einem Stuntman nicht passieren.«

Burns war am Boden zerstört. Jerry Blake legte ihm die Hand auf die Schulter. »Okay, Alan, der Schaden ist enorm. Der Wagen ist hin. Teile von der Ausrüstung sind verschmort – alles zu ersetzen. Das Schlimme ist nur: Wir verlieren Tage, bis ein neuer roter Jeep gefunden ist. Und wie du weißt, jeder Tag kostet tausende an Dollars. Aber lass gut sein ... alles versichert.« Blake wollte sich gerade eine Zigarre anzünden, doch dann ließ er sie schnell wieder in seiner Jackentasche verschwinden.

Justus klopfte sich den Staub von der Hose. »Wenn das Tante Mathilda mitbekommen hätte ...«, stöhnte er.

Bob spuckte auf seine Brille und rieb sie an seinem T-Shirt sauber. »Die hätte alle vom Hof gejagt«, witzelte er. »Dann hätte Burns seinen gefährlichsten Stunt noch vor sich.«

Doch keinem war zum Lachen zumute. Peter kauerte immer noch am Boden.

Plötzlich hörte man aus der Ferne eine Polizeisirene. Das Geräusch kam näher und mit Blaulicht schoss ein Streifenwagen auf das Gelände. Aus der Staubwolke trat Kommissar Reynolds. Er nahm seine Sonnenbrille ab und sprach in ein Funkgerät: »Reynolds an Zentrale, bitte kommen! Meldet der Feuerwehr, dass die wieder umdrehen können. Hier gibt es nichts mehr zu löschen.«

Dann entdeckte er Justus, Peter und Bob. »Ach,

hätte ich mir denken können. Wenn es irgendwo knallt, seid ihr drei nicht weit. Dass auf dem Schrottplatz gefilmt wird, weiß ich. Aber eine Nachbarin alarmierte uns, dass anscheinend Bomben oder so etwas gezündet wurden. Was ist hier eigentlich los?«

Justus lief auf ihn zu: »Hallo, Kommissar Reynolds.« Reynolds war für die drei ??? ein guter Bekannter. »Bei einem Filmstunt fing der Wagen Feuer und explodierte. Es gibt dabei aber eine sehr merkwürdige Sache.«

Justus wollte mit seinen Schilderungen gerade fortfahren, als Jerry Blake dazwischenplatzte: »Verehrter Kommissar, wenn ich mich kurz vorstellen darf. Mein Name ist Blake. Jerry Blake. Ich bin Produzent und Regisseur der Atlas Filmstudios. Es gibt nichts, aber auch rein gar nichts, worüber Sie sich Sorgen machen müssen. Solche kleinen Explosiönchen kommen beim Film alle naselang vor. Mal knallt es hier, mal knallt es dort. Sie kennen das doch aus dem Kino, oder?« Er lachte und bot dem Kommissar ein Zigarre an.

»Danke, ich rauche nicht. Sagen Sie mal, Mister

Blake, das war aber ein größeres Explosiönchen. Sie wissen doch, dass so etwas angemeldet werden muss?« Reynolds sah dem Produzenten unverwandt in die Augen.

Dieser wischte sich mit einem Tuch den Schweiß von der Stirn. »Es tut mir aufrichtig Leid. Und dabei hab ich meinen Leuten noch gesagt: Denkt daran, die Sache bei der Behörde anzumelden! Kein Verlass mehr, einfach kein Verlass mehr auf seine Angestellten. Aber wem sage ich das, lieber Kommissar. Ich hoffe, die Sache ist damit aus der Welt?«

Reynolds setzte seine Sonnenbrille wieder auf. »Ich will mal ein Auge zudrücken. Anscheinend ist ja niemand zu Schaden gekommen. Denken Sie das nächste Mal an die Genehmigung, Mister Blake!«

Der Produzent legte seine rechte Hand auf die Brust: »Ich verspreche es Ihnen. Seien Sie beruhigt, kommt nicht wieder vor.« Dann rief er nach hinten in sein Megafon: »Für heute machen wir Schluss! So eine Schlamperei will ich nie wieder sehen!«

Reynolds drehte sich um und ging wieder zu seinem Wagen zurück. Justus winkte seinen Kollegen und lief hinterher. »Kommissar Reynolds«, flüsterte er. »Der Stunt ist völlig außer Kontrolle geraten. Das war niemals so geplant.«

Der Polizist drehte sich um und sah die drei an. »Das habe ich mir schon gedacht. Aber was soll ich machen? Ich kann nicht alle verhaften, nur weil da was nicht ganz geklappt hat.«

Justus wollte noch von den beiden leeren Feuerlöschern berichten, doch Kommissar Reynolds war schon eingestiegen und ließ den Motor an: »Es mag sein, dass hier tatsächlich was faul ist. Aber leider kann die Polizei erst dann auftauchen, wenn das Kind schon in den Brunnen gefallen ist. Mit Vermutungen können wir nichts anfangen. Tut mir Leid, ich würde gern, aber der Dienstplan lässt mir keine Zeit dafür.«

In diesem Moment krächzte sein Funkgerät: »Reynolds, bitte kommen! Zentrale an Reynolds, bitte kommen!«

Der Kommissar lachte. »Seht ihr? So stressig ist das bei uns. Aber wie ich euch kenne, werdet ihr die Sache sowieso im Auge behalten. Macht aber keine Dummheiten! Wenn was ist, meldet euch sofort bei mir! Verstanden?« Dann fuhr er weg.

Justus knetete an seiner Unterlippe. »Hier ist nicht nur was faul, hier ist was oberfaul.«

Heiße Spur

Die Kameras und Scheinwerfer wurden verstaut und allmählich leerte sich der Platz. Nur Alan Burns blieb zurück. Er hockte vor einer alten Waschmaschine und vergrub sein Gesicht in den Händen. Er trug noch immer die blonde Perücke auf dem Kopf.

Die drei ??? gingen auf ihn zu. »Sie können nichts dafür«, versuchte Peter ihn zu trösten. »Sie hatten doch die Feuerlöscher vorher kontrolliert?«

Der Stuntman blickte hoch und sah die drei an. »Was heißt hier kontrolliert? Einen Dreck hab ich getan. Ich hätte kurz vorher noch mal nachprüfen müssen! Das darf einem Profi nicht passieren. Ihr wisst doch: Ein Fehler genügt. Was unterscheidet mich da noch von einem verrückten Draufgänger?« Die drei Freunde schwiegen.

Burns raffte sich langsam auf. »Ich muss die Sache irgendwie wieder gutmachen. Wenn ich daran denke, dass jemand hätte verletzt werden können ... Aber vielleicht finde ich zumindest einen Ersatz für den Jeep. Dann verlieren wir mit Glück nur einen Tag. Ich kenne da jemanden in Hollywood, der schuldet mir noch einen Gefallen.« Dann verließ auch er schweigend den Schrottplatz.

»Armer Kerl«, durchbrach Peter die Stille und sah ihm hinterher. »Und dann kommt noch dieser Blake und macht ihn vollständig fertig. Ich könnte richtig wütend werden, wenn ich daran denke.« Mit diesen Worten holte Peter aus und trat mit voller Wucht gegen eines der vielen leeren Ölfässer.

»Mach das noch mal!«, platzte Justus plötzlich heraus.

»Was soll ich machen?«, fragte Peter entgeistert.

»Na, du sollst noch mal gegen die Tonne treten!«

»Du hast doch einen Knall, Just«, entschied Bob.

»Dann mach ich es eben«, entgegnete Justus und trat gegen die Tonne. »Fällt euch nichts auf?«

Peter und Bob schüttelten die Köpfe.

»Hört doch! Klingt so eine leere Öltonne?« Justus musste das wissen, denn er war auf dem Schrottplatz groß geworden. Seit dem Tod seiner Eltern lebte er bei Onkel Titus und Tante Mathilda. »Diese Tonne ist nicht leer. Eine leere macht ›boing‹. In dieser ist was drin.«

Bob ging jetzt auch auf die Tonne zu: »Na und? Was interessierst du dich für halbleere Öltonnen. Hier ist fast der gesamte Laden abgebrannt und du spielst Bongo auf alten Blechfässern?«

»Ich hab so eine Ahnung«, flüsterte Justus geheimnisvoll. »Lasst uns mal den Deckel öffnen!«

Mit beiden Händen umfasste er den Deckelrand und presste ihn nach oben. Mittlerweile war auch Peter neugierig geworden und beugte sich über die Tonne. Mit einem Ruck schob sich der Deckel zur Seite und fiel scheppernd zu Boden.

»Seht ihr, was ich sehe, Freunde!«, rief Justus aufgeregt.

Bob griff in die Tonne und zum Vorschein kam eine Hand voll weißes und feuchtes Pulver. »Wisst ihr, was das ist?«, stammelte er und gab sich gleich selbst die Antwort. »Das ist Feuerlöschschaum . . .!«

Die drei ??? starrten einander an. Justus biss sich auf die Lippen. »Ich hatte die ganze Zeit so ein merkwürdiges Gefühl. Jetzt ist klar: Jemand hat die Feuerlöscher absichtlich leer gesprüht.«

Für eine Weile standen alle drei regungslos um die Tonne herum. Bob ließ das feuchte Pulver langsam durch die Finger tropfen. »Ich kann es nicht glauben. Wenn einer das mit Absicht gemacht hat, dann wollte er, dass der Jeep abbrennt. Mit oder ohne Alan Burns.«

»Wir müssen davon ausgehen«, fuhr Justus fort. »Es gibt keine andere Möglichkeit.«

Peter griff auch in die Tonne. »Wenn das wahr ist, müssen wir es Burns erzählen. Oder besser, wir gehen gleich zu Reynolds und machen eine Anzeige gegen Unbekannt.«

Justus sah Peter scharf in die Augen: »Unbekannt? Ist die Person wirklich unbekannt?«, fragte er in einem merkwürdigen Ton.

Bob nahm seine Brille ab und blickte rüber zu dem Lastwagen. »Dahinter haben wir heute Mittag Pizza gegessen. Vorher hatte Burns alle Feuerlöscher überprüft, sagte er zumindest.«

Justus führte Bobs Gedanken fort: »Ich erinnere mich an eine Person, die für eine Weile den Tisch verlassen hat.«

Jetzt wurde Peter unruhig. »Ich weiß, an wen du denkst«, flüsterte er. »Jerry Blake! Er war kurz weg und wollte der Donnatelli die Pizza ins Wohnmobil bringen ...«

Und dann sprach Justus aus, was alle drei ??? gleichzeitig dachten: »Doch Claudia Donnatelli hatte anscheinend nichts zum Mittagessen gehabt. So hat sie es zumindest gesagt, als sie mit den Lockenwicklern im Türrahmen stand. Jerry Blake hätte genügend Zeit gehabt, sich die Feuerlöscher zu schnappen und in dem Ölfass hier leer zu sprühen.«

»So ein Schwein«, zischte Peter durch die Zähne. »Der wollte doch nur, dass alles kaputtgeht. Und wisst ihr auch, warum? Weil er alles super versichert hat. Das hat er doch die ganze Zeit gesagt. Alles bestens versichert … Ich wette, der will richtig Kohle mit der Sache machen.«

Justus beruhigte ihn: »Gut möglich, dass er es gewesen ist. Es gab aber noch eine Person, die nicht beim Essen war oder vielmehr erst später kam: Jim Norton, der Kameramann. Theoretisch könnte er es genauso gemacht haben. Oder auch Claudia Donnatelli. Die war überhaupt nicht da.«

»Das würde die nie machen«, entfuhr es Bob.

»Und woher willst du das wissen?«

»Na, ich hab sie mal im Film gesehen. Das … das passt nicht zu ihr.« Bob guckte etwas verlegen seine beiden Freunde an und musste selbst über seine Gedanken lächeln.

Justus fasste zusammen: »Also, wir haben eine Tat und drei mögliche Täter. Einer davon hat sogar ein Motiv. Jerry Blake. Bei einem Zwischenfall würde er Geld von der Versicherung bekommen.«

»Und was bedeutet das?«, wollte Peter wissen.

Justus schloss vorsichtig wieder den Deckel des Ölfasses und blickte über den Schrottplatz. »Zunächst bedeutet es, dass wir mitten in einem Fall stecken.«

Ersatzwagen

Justus, Peter und Bob schlenderten zum Jeep hinüber. Noch immer strahlte das verkohlte Blech eine enorme Hitze aus.

»Schade um das schöne Auto«, murmelte Peter. Plötzlich hörten sie, wie ein Wagen auf das Grundstück fuhr.

»Wahrscheinlich kommen Tante Mathilda und Onkel Titus vom Einkaufen zurück«, vermutete Justus und reckte seinen Hals. Doch es war nicht der Pick-up seines Onkels, sondern Alan Burns.

»He, Jungs!«, rief er ihnen zu. »Das glaubt ihr nie: Ein Kollege aus Hollywood hat einen roten Jeep bei sich in seiner Stuntschule stehen. Zwar wird das gute Stück die Versicherung eine Kleinigkeit kosten, aber dafür können wir schon sehr bald weiterdrehen.« Alan Burns hatte sein selbstbewusstes Strahlen wieder. »Ich bin nur gekommen, um den Anhänger dahinten für den neuen Jeep zu holen.«

Die drei liefen hinter ihm her. »Mister Burns«,

begann Justus. »Wir haben eine sehr interessante Entdeckung gemacht. Die leeren Feuerlöscher …«

Weiter kam er nicht, denn der Stuntman blieb abrupt stehen und drehte sich um. »Jungs, was ich euch jetzt sage, sage ich nur einmal: Ich will nie wieder, und zwar absolut nie wieder, was von dieser Feuerlöschergeschichte hören!«

Justus biss sich auf die Lippen. »Gut, aber es ist wichtig: Wir haben den Schaum in einem …«

»Ich will davon nichts mehr hören!«, herrschte Burns ihn an. »Es ist das größte Versagen meines Lebens. Bitte erspart mir das, verdammt noch mal!« Die Augen des Stuntmans funkelten drohend und Justus schwieg.

Dann durchbrach Bob die angespannte Stille: »Wir können Ihnen helfen den Autotransporter zu Ihrem Wagen zu schieben.« Der Stuntman nickte und entspannte sich sichtlich. Nach wenigen Minuten war das Gefährt angekuppelt.

Plötzlich durchzuckte Peter ein Geistesblitz: »Mister Burns, wie wär's, sollen wir nicht morgen nach Hollywood mitkommen? Ich meine, vielleicht können wir beim Verladen helfen?«

Burns wischte seine Hände an einem alten Lappen ab und dachte über den Vorschlag nach: »Tja, wird ein bisschen eng in meinem Wagen ...«

»Wir machen uns ganz dünn«, unterbrach ihn Peter begeistert und Justus zog seinen Bauch ein.

»Mit euch würde die Sache etwas schneller gehen ... und was soll's, dann ist die Fahrt nicht so langweilig. Okay, aber nur, wenn eure Eltern damit einverstanden sind.«

»Das lassen Sie mal unsere Sorge sein«, versicherte Bob und strahlte übers ganze Gesicht.

Obwohl Rocky Beach nicht weit von Hollywood entfernt lag, war noch keiner der drei Freunde jemals in der berühmtesten Filmstadt der Welt gewesen.

»Ich werde irre. Wir fahren nach Hollywood!«, jubelte Peter. »Und dann noch direkt in eine Stuntschule. Just, was sagst du dazu?«

»Das ist eine gute Gelegenheit, noch einmal mit Alan Burns zu reden«, antwortete er nüchtern.

Am Abend saß Justus mit Tante Mathilda und Onkel Titus beim Abendbrot in der Küche. Justus setzte seine ganzen Überredungskünste ein und nach ein paar Einwänden erlaubten sie ihm den Ausflug mit dem Stuntman. Die ungeplante Explosion verschwieg Justus lieber.

»Rate mal, was ich mir heute in der Stadt gekauft habe«, platzte Tante Mathilda plötzlich heraus. Justus kam nicht drauf. »Ein nagelneues Abendkleid für die Filmpremiere in Hollywood.«

Nachtschatten

Justus fiel todmüde ins Bett und schaffte es nicht einmal mehr, die Gardinen zuzuziehen. Er dachte beim Einschlafen über die bisherigen Geschehnisse nach. Die Filmaufnahmen auf dem Schrottplatz, die Explosion und der Löschschaum in dem Ölfass. Wirre Bilder flimmerten vor seinen Augen. Die Müdigkeit drückte ihn in die Kissen und er sank langsam in die Welt der Träume.

Über ihm schwebten fliegende Autos im hellen Licht der Scheinwerfer. Auf einmal saß er schwerelos am Steuer des roten Jeeps und zog seine Kreise über Rocky Beach. Unten versprühte ein kleiner dicker Mann Schlagsahne aus Feuerlöschern und rauchte dabei Zigarre. Dann glitt er auf einer warmen, weichen Rutsche immer tiefer in das Reich der Schlafenden.

Der Schrottplatz lag jetzt völlig im Dunkeln. Nur eine spärliche Straßenlaterne warf lange Schatten über das Gelände. Es war gespenstisch ruhig. So ruhig, dass man sich einbilden konnte, die gleichmäßige Brandung des nahen Pazifiks zu hören. Ganz Rocky Beach schlief fest und friedlich.

Plötzlich fiel eine Autotür zu und eine aufgeschreckte Katze sprang mit einem Schrei aus ihrem Versteck.

Justus riss die Augen auf. Was war das? Hatte er das nur geträumt oder hörte er tatsächlich etwas? Es gab nur einen Weg, das herauszufinden. Er rollte sich aus dem Bett und schlich zum Fenster. Nichts war zu sehen. Doch sein Instinkt sagte ihm, dass dort unten etwas Merkwürdiges vor sich ging. Justus nahm seinen gesamten Mut zusammen und beschloss, der Sache auf den Grund zu gehen.

Von seinem Fenster im ersten Stock konnte er mühelos auf das Dach eines Schuppens gelangen. Darin bewahrte Onkel Titus seinen Lieblingsschrott auf. Geräuschlos gelangte Justus direkt auf den Schrottplatz. Er hockte sich nieder und verharrte. Nach endlosen Sekunden hörte er plötzlich leise Schritte auf den Kieselsteinen. Dort im schwachen Licht der Straßenbeleuchtung entdeckte er eine Gestalt. Sie huschte im Schatten der Nacht über

den Platz. Langsam näherte sie sich dem verkohlten Autowrack und schlich dann zielstrebig zu dem alten Ölfass. Sie kippte die Tonne behutsam um und begann sie wegzurollen.

Jetzt wusste Justus, was dort vor sich ging: Jemand wollte Beweise verschwinden lassen. Keine zehn Meter vor ihm stand zweifelsfrei der Täter, der vor einigen Stunden den Anschlag verübt hatte. Doch was sollte Justus unternehmen? Es war unmöglich, die Person zu sehen ohne selbst erkannt zu werden.

Allmählich schliefen seine Füße ein und er versuchte an dem Holzschuppen Halt zu finden. Dabei stieß er gegen eine angelehnte Schaufel. »Mist!«, zischte er leise durch die Zähne. Er versuchte noch danach zu greifen, doch der Fall der Schaufel war nicht mehr aufzuhalten. Der Holzstiel fiel scheppernd auf einen leeren Blecheimer.

Schnell näherten sich Schritte in Justus' Richtung. Lautlos tastete sich dieser am Schuppen entlang und quetschte sich durch die halb offene Tür. Hier lagerten Onkel Titus' geheime Schätze. Plötzlich wurde die Tür von außen geöffnet und Justus zwängte sich zu Tode erschrocken unter ein Regal. Er versuchte nicht zu atmen und drückte sich, so eng es ging, an die Wand. Dabei brachte er eine Gießkanne in Schieflage und fühlte das Wasser über seine Hände laufen.

Das schwache Licht der Straßenlaternen warf den Schatten einer Gestalt in den kleinen Raum.

Justus' Herz pochte bis zum Hals. Wäre er bloß im Bett geblieben! Seine Hand krallte sich in die nun aufgeweichte Erde. Der Eindringling tat einen Schritt nach vorn und stellte sich mit dem Stiefel direkt auf seine Finger.

Justus durchzuckte ein unglaublicher Schmerz. Die Tränen liefen ihm übers Gesicht, doch von seinen Lippen kam kein Laut. Er presste die Zähne zusammen, sein ganzer Körper zitterte. Der Schmerz war fast nicht mehr zu ertragen. Dann der Strahl einer Taschenlampe: Wie ein greller, scharfer Lichtkegel suchte er den Raum ab, er kam näher und näher. Justus schloss die Augen. Plötzlich klingelte ein Telefon. Es war ein Handy und es schien, als versuchte der Unbekannte hektisch den Apparat aus der Jacke zu ziehen. Die Taschenlampe erlosch und ein kleiner Piepton verriet, dass das Handy ausgeschaltet wurde. Gleichzeitig entfernten sich eilig die Schritte und Justus atmete befreit auf.

Seine Finger waren tief in die Erde gedrückt worden und fühlten sich völlig lahm an. Er krümmte versuchsweise die Finger und war froh, als sie sich auf seinen Befehl hin bewegten.

Langsam schlich er aus dem Schuppen und lauschte angespannt. Der Eindringling war wieder mit dem Ölfass beschäftigt. Leise knirschten die Kieselsteine unter der Last. Minuten später wurde hinter dem Eingangstor ein Wagen gestartet und fuhr davon. Justus' Knie gaben nach und er sank erschöpft auf einen Stapel Bretter.

Eingegipst

Das Erste, was Justus am Morgen spürte, war seine schmerzende Hand. Das gab ihm wenigstens die Gewissheit, dass er nicht geträumt hatte. Obwohl er viel zu wenig geschlafen hatte, war er sofort hellwach. Wer steckte hinter der unbekannten Person? Was genau hatte sie vor? Justus kam nicht dazu, darüber nachzudenken, denn plötzlich flogen kleine Steinchen gegen die Fensterscheibe. Es waren Peter und Bob, die unten auf ihn warteten.

Justus öffnete das Fenster. »Gut, dass ihr so früh da seid. Ich habe eine Menge zu erzählen. Wartet, ich komme gleich runter!« Er schnappte sich sein T-Shirt, blieb nur wenige Sekunden im Badezimmer und rannte die Treppe hinunter zu seinen Freunden.

»Was ist denn los, Just?«, fragte Bob neugierig.

Aufgeregt berichtete Justus von den Ereignissen in der Nacht.

»Das ist ja unglaublich«, stammelte Peter. »Hast du keine Angst gehabt?«

»Selbstverständlich hab ich Angst gehabt«, erwiderte Justus. »Angst, was zu verpassen.« Ein bisschen schämte er sich, als er das sagte, und fügte hinzu: »Na ja, klar hatte ich ein wenig Bammel, wer hätte das nicht mitten in der Nacht.« Peter und Bob grinsten sich an.

»Gehen wir in den Schuppen! Vielleicht finden wir bei Tageslicht eine Spur«, schlug Justus vor.

Wenig später betraten sie die kleine Holzhütte unter Justus' Fenster.

»Halt! Nicht weitergehen!«, rief Bob plötzlich. »Seht ihr, was ich sehe?«

Peter ging in die Hocke: »Tatsächlich. Da ist noch der Abdruck von Justs Hand im Matsch. Aua, das muss wehgetan haben.«

Justus hatte den Schmerz schon längst vergessen, jetzt strahlten seine Augen. »Das ist nicht nur ein Abdruck von meinen Fingern, sondern auch vom Schuh des Täters. Und wisst ihr, was wir machen sollten?« Peter und Bob wussten es: einen Gipsabdruck anfertigen.

»Los, holen wir den Gips aus der Kaffeekanne. Dort können wir auch alles Weitere in Ruhe besprechen«, schlug Justus vor.

Sie stiegen auf ihre Fahrräder und fuhren los. Kurz darauf befanden sie sich außerhalb von Rocky Beach.

»Dahinten ist schon unsere Kaffeekanne«, freute sich Peter und zeigte auf einen alten Wasserspeicher, der abseits der Straße versteckt lag. Früher wurde die Kaffeekanne dazu benutzt, die Kessel der Dampflokomotiven mit Wasser zu füllen. Dafür hatte sie ein schwenkbares Rohr. Von weitem sah das Ganze tatsächlich aus wie eine Kaffeekanne. Sie stellten ihre Fahrräder darunter ab und kletterten die Stahlsprossen hoch. Unter dem Speicher befand sich ein Klappe. Einer nach dem anderen betrat den geheimen Treffpunkt und setzte sich an seinen Platz. Es war wie in einem großen Holzfass. Gerade mal Platz für drei Personen und diversen Krimskrams. Hier lagerten stapelweise Comics, Kekse, halb leere Colaflaschen und die Grundausstattung aller Detektive: Fernglas, Lupe, Notizblock, Gips für Abdrücke und noch vieles mehr.

»Wenn wir Burns schon nicht von der Sache erzählen können, sollten wir zumindest Kommissar Reynolds informieren«, begann Peter.

Bob schüttelte den Kopf. »Der sagt uns doch wieder das Gleiche: Wenn kein Schaden eingetreten ist, kann er nicht eingreifen. Ein altes Ölfass dürfte ihn nicht so interessieren. Und außerdem haben wir noch keine Beweise.«

Justus stimmte ihm zu: »Das sehe ich genauso. Und solange die Polizei nicht in Erscheinung tritt, fühlt sich der Täter in Sicherheit. Ich möchte wetten, er schlägt noch mal zu.«

»Und wir gucken einfach dabei zu?«, fragte Peter ärgerlich.

Justus beruhigte ihn. »Im Gegenteil. Unsere Aufgabe ist es, genügend Beweise zu sammeln. Erst wenn wir sicher sind, wer der Täter ist, sollten wir

Reynolds dazuholen. Der Gipsabdruck wird uns sicherlich weiterbringen. Wir müssen uns auch noch mal um diesen Kameramann, Jim Norton, kümmern. Meine Nase verrät mir, dass der irgendwie komisch ist.«

»Deine Nase hat auch einiges zu verraten, so dick wie die ist«, witzelte Bob. Justus konnte gar nicht darüber lachen und warf Bob einen Keks an den Kopf.

»Wir sollten lieber los. Sonst verpassen wir Alan Burns und damit Hollywood!«, rief Peter.

Kurze Zeit später standen sie wieder in Onkel Titus' Schuppen. Sie schütteten den Gips in den umgefallenen Eimer und gossen Wasser dazu. Mit einem Stock rührte Peter das Ganze zu einem dicken Brei an. Zusammen gossen sie vorsichtig die Masse über den Fußabdruck im Lehm und nach ungefähr zehn Minuten war der Gips erhärtet.

»Da bin ich mal gespannt, ob es was geworden ist«, hoffte Justus und hob den harten Klumpen vom Boden.

Alle drei beugten sich neugierig über ihr Beweisstück. Tatsächlich, in dem Gips zeichnete sich haargenau der Stiefel ab.

»Na, wunderbar«, freute sich Bob. »An unserem Gipsabdruck kann man sogar Justs Finger deutlich erkennen.«

In dem Moment hörten sie einen Wagen, der auf das Grundstück fuhr. Es war Alan Burns, der kräftig auf die Hupe drückte.

»Ich denke, wir zeigen Burns den Abdruck erst mal nicht«, schlug Justus vor. »Der rastet sonst wieder völlig aus, wegen der Feuerlöschergeschichte.« Sie beschlossen das Beweismittel im Schuppen zu verstecken.

Wenig später saßen alle im engen Wagen des Stuntmans, auf dem Weg nach Hollywood.

Hollywood

»Guten Morgen, Jungs. Dann wollen wir mal unser Baby vom Bahnhof abholen.« Burns lachte, als er das sagte, und legte vergnügt eine Kassette ein. Aus den Lautsprechern kam Country-Musik. Justus, Peter und Bob verzogen hinter dem Rücken des Stuntmans angewidert das Gesicht.

Sie fuhren entlang der Küstenstraße, der Anhänger für den Jeep hoppelte hinter dem Wagen und Burns pfiff zur Musik. In den Weiten des Pazifiks glitzerten die Sonnenstrahlen und vereinzelt sah man unerschrockene Surfer auf den Wellen reiten.

Justus war der Erste, der einschlief.

Erst in Santa Monica wurden die drei ??? aus ihren Träumen gerissen. »Idiot! Was macht der mitten auf der Straße eine Vollbremsung?« Burns drückte mächtig auf die Hupe, als er einen älteren Herrn in seinem VW-Käfer überholte. »Wenn der so in Los Angeles fährt, landet der Opa zusammen mit seiner Blechdose auf dem Schrott, und zwar früher, als ihm lieb ist.«

Links und rechts säumten Palmen die Hauptstraße. »Ihr müsst wissen, wenn man beim Film was werden will, dann muss man in Los Angeles wohnen. Am besten natürlich im Stadtteil Beverly Hills oder gleich in Hollywood. Ja, ja, Los Angeles … Stadt der Engel, sagt man. Aber ob da wirklich Engel wohnen? Ich weiß nicht.«

Die drei ??? drückten ihre Nasen an der Scheibe platt. Und plötzlich sah man sie. Die berühmten weißen Buchstaben in den Bergen: HOLLYWOOD.

Bob rückte seine Brille zurecht: »Wow …«

Dann bogen sie ab in eine der vielen Seitenstraßen und gelangten an ein altes Lagergebäude mit einem hohen Stahltor. Der Stuntman parkte seinen Wagen direkt davor und hupte mehrmals. »Wollen wir mal hoffen, dass jemand da ist«, sagte er und trommelte auf sein Lenkrad. Doch schon schob sich quietschend das große Tor zur Seite und Alan Burns gab Gas.

»Das hier ist die Stuntschule?«, fragte Peter enttäuscht und blickte in die riesige Halle.

Burns dreht sich zu ihm um: »Das ist sogar die beste der Welt. Und ich muss das wissen, denn hier

hab ich meine Ausbildung gemacht. Zum Beispiel von dem Gerüst da oben bin ich zum ersten Mal in einen Stapel Pappkartons gesprungen – tat verdammt weh. Willst du auch mal?« Peter winkte entschieden ab.

In der Halle standen mehrere Autos kreuz und quer herum. Die meisten waren zerbeult oder auseinander gebaut. Überall waren Metallkisten und an der Decke hing ein umgebautes Motorrad mit Flugzeugtragflächen. Daneben, unter einer durchsichtigen Plane, stand der rote Jeep. Am hinteren Ende sahen sie eine schwere Stahltür mit der Aufschrift ›Achtung! Explosiv!‹.

In dem Moment hörten sie eine Stimme: »Alan, du verrücktes Huhn. Ich war froh, gestern deine Stimme zu hören. Bei unserem Beruf weiß man ja nie, wann man sich wieder sieht.«

Die beiden begrüßten sich freudig und Burns stellte die drei ??? vor. »Die Jungs hier wollten sich mal ein bisschen umgucken in deinem Laden. Du hast doch nichts dagegen?«

Alan lachte: »Im Gegenteil. Aber ich glaube, die brauchen erst mal ein kräftiges Frühstück.«

Justus strahlte und wenig später saßen alle in einem kleinen Café und aßen Sandwiches.

Es schien so, als würde das Geschäft fast nur von Kollegen der beiden erfahrenen Stuntmänner besucht. Mindestens die Hälfte hatte die Hand in Gips oder Schürfwunden im Gesicht.

»Ja, ja ... das Geschäft ist nur was für die Härtesten«, lachte Alan Burns. Er und sein Freund hatten noch eine Menge zu bereden und die drei ??? zogen es vor, sich Hollywood anzugucken.

»Viel Zeit habt ihr nicht!«, rief Burns ihnen hinterher. »In einer halben Stunde laden wir den Jeep auf. Ihr könnt ja über den Walk of Fame schlendern. Der ist hier gleich um die Ecke.«

Bob kannte diese ›Straße des Ruhms‹ und war Feuer und Flamme: »Da müssen wir hin. Und dann will ich noch in den Innenhof vom Mann's Chinese Theater. Da sind die Fußabdrücke vieler Stars im Zement zu sehen.«

Justus dachte an Tante Mathilda, die sich auf die Filmpremiere von ›Gefährliche Stunts‹ freute. Solche Premieren wurden häufig in diesem berühmten Kino gezeigt. Doch wenn er an die Ereignisse vom

Vortag dachte, zweifelte er, dass dieser Film überhaupt zu Ende gedreht werden würde.

Wenig später standen sie vor den Fußabdrücken unzähliger bekannter Filmstars. Bob betrachtete sie fasziniert: »Ist es nicht unglaublich? Als seien die Stars direkt hier.«

Justus hatte noch ein Sandwich mitgenommen und stopfte sich das Brot in den Mund. »Das ist wirklich unglaublich, denn die meisten von denen sind schon längst tot.« Bob fand das überhaupt nicht komisch.

Viel zu schnell war die halbe Stunde um und alle drei beeilten sich wieder ins Café zu kommen. Sie kürzten den Weg durch eine kleine Querstraße ab.

Plötzlich blieb Bob auf dem Bürgersteig stehen. »Seht ihr das Gleiche wie ich?«, grinste er.

Der Gehweg war an einer Stelle gerade frisch repariert worden. Der feuchte Zement glänzte in der Sonne. Justus und Peter verstanden sofort. Wortlos zogen sie ihre Schuhe aus und betraten den weichen Untergrund. Jeder hinterließ einen tiefen Fußabdruck und blickte stolz auf den Boden.

»Ich glaube, da fehlt noch was«, schmunzelte

Justus. »Wennschon, dennschon.« Dann beugte er sich hinunter und zeichnete mit seinem Finger ein Fragezeichen in den frischen Zement. Peter und Bob machten es ihm nach. Eine Weile betrachteten sie ihr Werk. Das jüngste Detektivteam der Welt hatte sich für alle Zeiten in Hollywood verewigt.

Kuchenpause

»Wo bleibt ihr denn?«, rief ihnen Alan Burns entgegen. Er wartete schon ungeduldig vor dem Café. »Jetzt aber los! Wir müssen den Jeep aufladen und dann nichts wie zurück. Die Stuntschule kann ich euch leider nicht mehr zeigen.«

Die drei hatten sowieso genug gesehen und wenig später stand der Wagen gut festgezurrt auf dem Anhänger. Burns konnte mit dem zusätzlichen Gewicht nur halb so schnell fahren und so erreichten sie erst gegen Nachmittag wieder Rocky Beach.

Auf dem Schrottplatz wurden schon den ganzen Tag Nahaufnahmen von Claudia Donnatelli gemacht. Um sie herum wirbelten eifrig mehrere Personen. Einer pinselte ihr Puder auf die Wangen und andere zupften an ihrem Kostüm herum. Die Schauspielerin schien nicht zufrieden zu sein: »Jerry! Jerry, ich halte das nicht mehr aus. Ich schwitz mich zu Tode in meinem Kleid. So kann ich nicht arbeiten.«

Der Produzent kam eiligst angelaufen und wollte

sie beruhigen: »Claudia, du Stern aus Hollywood, ich verspreche dir ...«

Die Filmdiva unterbrach ihn: »Ach, hör doch auf mit deiner Schmierenkomödie. Sag mir lieber, wann dieser Alptraum hier zu Ende ist!«

Der Produzent tupfte seine Stirn mit einem Taschentuch ab. »Eben ist Alan Burns mit dem neuen Jeep gekommen. Wenn alles glatt geht, dann sind wir morgen Abend fertig.«

»Wenn alles glatt geht ... wenn ich das schon höre. Gestern ging es ja auch unwahrscheinlich glatt. Ich hab den Knall heute noch im Ohr. Das ist das allerletzte Mal, dass ich für dich arbeite. Bei deinem letzten Film hab ich mir schon geschworen: Niemals wieder steh ich für dich vor der Kamera.«

Jerry Blake schien nervös zu werden. »Das ist doch aber alles lange vorbei, mein Engel.«

»Vorbei ist es, aber niemals vergessen. Ich sehe

es noch genau vor mir, wie du ... aber das gehört jetzt nicht hierher. Lass uns weitermachen!« Die Schauspielerin schien sich über das eben Gesagte zu ärgern.

»Was ist denn damals passiert?«, wollte Justus von Alan Burns wissen.

»Ach, die haben sich bis aufs Messer gestritten. Jerry Blake versprach ihr eine Rolle, die später durch eine Jüngere ersetzt wurde. Claudia ist völlig ausgerastet und hat sich fast mit ihm geprügelt.«

»Und warum arbeitet sie wieder für ihn?«

Der Stuntman schüttelte auf diese Frage den Kopf: »Keine Ahnung. Bei denen blickt kein Mensch durch.«

Justus, Peter und Bob tauschten geheimnisvolle Blicke aus.

Die Aufnahmen mit Claudia Donnatelli dauerten noch gut zwei Stunden und die drei ??? halfen mit, den Jeep abzuladen. Der Stuntman bereitete alles für den großen Sprung am nächsten Tag vor.

»Eins der wichtigsten Dinge ist, dass man nur so viel Benzin im Tank hat, wie man benötigt«, erklärte Burns. »Man darf so einen Sprung niemals mit einem vollen Tank machen. Wenn das plötzlich anfängt zu brennen ... na, das habt ihr ja gestern gesehen.«

»Wie viel kommt denn in den Tank rein?«, wollte Peter wissen.

»So viel, wie ich brauche, um von der Straße bis auf die Rampe zu kommen. Ich werde alles bis auf einen halben Liter ablassen.«

Plötzlich hörten die drei Detektive von der Veranda her eine vertraute Stimme. Tante Mathilda stand dort mit einem Tortenheber und winkte herunter: »Hallo, wer möchte, kann sich bei mir ein Stück Kirschkuchen und einen Kaffee abholen.«

Justus lief als Erster los: »Mister Burns, das sollten Sie sich nicht entgehen lassen. Tante Mathilda backt den besten Kirschkuchen in Rocky Beach.«

Wenig später stand die gesamte Filmcrew dicht gedrängt auf der Veranda. Die Pannen schienen vergessen zu sein und die Stimmung besserte sich mit jedem Stück Kuchen.

Claudia Donnatelli machte zum ersten Mal eine freundliche Miene: »Mistress Jonas, also ich muss schon sagen, Ihr Kirschkuchen ... unglaublich. Ich halte strengste Diät: keine Kalorie zu viel, sonst ist meine Figur zerstört. Aber wem sage ich das, nicht wahr? Was denken Sie, ob ich wohl noch ein winziges Stückchen essen sollte?«

Tante Mathilda nahm ärgerlich den Teller der Schauspielerin und stellte ihn beiseite. »Auf keinen Fall will ich zu einer Zerstörung beitragen, Miss Donnatelli. Ich bringe Ihnen einen Apfel.«

Die Schauspielerin blickte etwas hilflos umher und goss sich Kaffee nach.

Justus, Peter und Bob saßen auf der Treppe zur Veranda und hatten alles mit angehört. Sie grinsten sich gegenseitig an und beobachteten, wie die verwirrte Schauspielerin in eine Glasschüssel mit Würfelzucker griff. Tante Mathilda sammelte überall eingepackten Würfelzucker ein und bewahrte ihn in dieser Glasschüssel auf.

»Die Donnatelli scheint zu glauben, dass Zucker keine Kalorien hat«, bemerkte Justus.

»Wo sie doch strenge Diät hält. Ich werde das notieren«, sagte Bob und holte ein kleines Notizbuch hervor.

Tante Mathilda sauste wieder mit ihrem Kirsch-

kuchen umher: »Kuchen, wer möchte noch Kuchen? Mister Blake, hatten Sie denn auch schon ein Stückchen?«

Der Produzent winkte höflich ab. »Danke schön, Mistress Jonas. Aber ich darf überhaupt nichts Süßes essen. Ich habe stark erhöhte Zuckerwerte. Mein Arzt würde mich umbringen.«

Peter sah auf die Glasschüssel mit den Zuckerstückchen: »Bob, dann kannst du den Produzenten auch gleich mit aufschreiben. Vorhin sah ich, wie er sich mindestens fünf Stück Zucker in die Tasche gesteckt hat.«

»Alles sehr merkwürdig«, murmelte Justus und knetete seine Unterlippe.

Am Nachmittag wurden die letzten Arbeiten für den großen Sprung abgeschlossen. Nach und nach leerte sich der Schrottplatz und die drei ??? verabredeten sich für den nächsten Tag, damit sie auf keinen Fall den Stunt verpassten.

Sprungbereit

Als Peter und Bob am nächsten Morgen in den Schrottplatz einbogen, schlummerte Justus noch selig im Bett. Weil sie ihn nirgends entdecken konnten, bimmelten sie laut mit ihren Fahrradklingeln.

»He, Just! Wach auf, sonst verpasst du den Stunt!«, brüllte Bob schließlich.

Verschlafen wurde im ersten Stock ein Fenster geöffnet. Justus lehnte sich gähnend heraus. »Könnt ihr einen alten Mann nicht mal schlafen lassen?«

»Okay. Leg dich wieder hin, Opa«, lachte Peter. »Gucken wir uns den Sprung eben ohne dich an.«

Justus blickte über den Schrottplatz. Die Arbeiter waren bereits damit beschäftigt, die Rampe für den großen Sprung aufzubauen. Diese stand auf mehreren verschieden hohen Stahlstützen. Die Konstruktion wurde zusammengesteckt und mit zwanzig Zentimeter langen Bolzen aus Eisen gesichert. Auf einer Seite war die Rampe mit einer Plane verdeckt, so dass man nicht darunter sehen konnte.

Plötzlich hörte er die Megafonstimme von Jerry Blake: »Beeilung! Ich will, dass die Sache in einer halben Stunde losgehen kann. Seht zu, dass ihr die Rampe fertig bekommt! Alan, warum bist du nicht bei deinem Wagen? Und warum gibt es hier keinen Kaffee, verdammt noch mal?«

Diesmal merkte man dem Filmteam die Nervosität an. Den Schrecken der Explosion hatten alle noch zu gut in Erinnerung. Die drei ??? standen inzwischen bei Alan Burns und beobachteten seine Vorbereitungen.

»Jungs, ich hoffe, heute klappt alles. Seit der Sache von neulich habe ich irgendwie ein komisches Gefühl.« Dabei zog er eine kleine Kette aus seinem Overall und küsste sie. »Das ist mein Glücksbringer. Es ist das Halsband von einem Hund. Der hat mir damals bei einem Sprung vom Balkon das Leben gerettet.«

»Wie konnte denn ein Hund Ihr Leben retten?«, fragte ihn Peter ungläubig.

Burns steckte die Kette wieder zurück und sah in den Himmel: »Ich bin direkt auf ihn draufgefallen.«

Als die drei Freunde sich schockiert ansahen, grinste der Stuntmann breit. »Ach was, war natürlich nur ein Witz. Keine Ahnung, wo die Kette herkommt. Irgendwann hab ich die mal gefunden. Aber dass sie Glück bringt, stimmt.«

Justus, Peter und Bob waren erleichtert und gingen mit ihm zum Jeep.

»Haben Sie die Feuerlöscher kontrolliert?«, erkundigte sich Justus eindringlich.

»Da kannst du sicher sein. Ich hab die Dinger gleich drei Mal durchgecheckt. So was passiert mir nie wieder.«

Dort, wo der Jeep landen sollte, machten sich die beiden Feuerwehrleute in den Schutzanzügen bereit.

»Okay, so langsam geht es los. Ich werde das Baby schon mal auf die Startposition fahren. Ich brauche ungefähr 250 Meter Anlauf auf der Straße. Wenn ich durch das Eingangstor vom Schrottplatz donnere, hab ich genau 100 Sachen drauf und mit der gleichen Geschwindigkeit geht es ab auf die Rampe und dann – huii.«

Gut, dass Tante Mathilda und Onkel Titus heute mal wieder den ganzen Tag Besorgungen in der Stadt machen wollten, dachte Justus.

Ab jetzt wurde es sehr hektisch auf dem Gelände. Jerry Blake gab die letzten Anweisungen: »Ich will, dass jeder auf seinem Posten ist! Warum sehe ich noch niemanden hinter Kamera drei? Schaltet die Scheinwerfer ein und macht die Rampe frei!«

Justus, Peter und Bob liefen zur Veranda, denn von dort hatte man die beste Sicht.

»Ich hätte nie gedacht, dass vierzig Meter so weit sind«, staunte Peter.

Erst jetzt konnte man erkennen, wie waghalsig der Sprung war. Das Auto sollte zunächst mit hoher Geschwindigkeit auf die über fünf Meter hohe Rampe rasen. Von da aus musste es Alan Burns gelingen, über riesige Berge von Schrott zu fliegen: vierzig Meter voll alter Kühlschränke, Baumaschinen und messerscharfer, verrosteter Eisenteile.

Alan Burns setzte die blonde Perücke auf den Kopf und schnallte sich im Jeep an. Im Wohnmobil mit dem goldenen Stern wurde der Vorhang hinter einem der Fenster zurückgeschoben. Für einen kurzen Moment war das Gesicht von Claudia Donnatelli zu erkennen. Der Stuntman hob den Daumen und umklammerte mit beiden Händen fest das Lenkrad.

»Und Action, bitte!« Jerry Blake sah gebannt auf den Jeep. Mit durchdrehenden Reifen beschleunigte der Wagen von 60 auf 70, 80, 90, schließlich auf 100 Stundenkilometer. Das Auto passierte das Tor zum Schrottplatz, schleuderte um die Kurve und steuerte auf die Rampe zu. Alle Kameras waren auf den heranrasenden Jeep gerichtet.

Die Räder setzten auf der Rampe auf. Den drei ??? stockte der Atem. Sie sahen, wie der Stuntman nach der Funkfernbedienung für den Sprengsatz griff. Plötzlich stotterte der Motor. Alan Burns reagierte sofort und trat mit aller Kraft auf die Bremse.

Die Reifen blockierten und quietschend rutschte der Jeep immer höher auf die Rampe. Schwarzer Qualm umhüllte den Wagen, es roch nach verbranntem Gummi. Nur noch wenige Meter und Burns würde unkontrolliert abstürzen.

»Mein Gott, er schafft es nicht!«, brüllte Blake.

Doch dem Stuntman gelang das Unmögliche. In allerletzter Sekunde brachte er das Auto zum Stehen. Dann war es still. Der Jeep stand jetzt genau auf der Kante. Wie auf einer Wippe neigte er sich vor und zurück. Eine falsche Bewegung und er käme aus dem Gleichgewicht. Burns blickte in den Abgrund.

Am Abgrund

Alle starrten auf den Wagen. Jerry Blake rutschte die Zigarre aus dem offenen Mund und fiel zu Boden.

»Verdammt, helft ihm doch!«, schrie Bob plötzlich und rannte los. Ohne nachzudenken griff er ein Kabel, das herumlag, und sprang auf die Rampe. Justus und Peter folgten ihm.

»Ich knote das Kabel an der Stoßstange fest und ihr müsst ziehen!«, gab Bob Kommandos.

Alan Burns versuchte sein Gewicht so weit wie möglich nach hinten zu verlagern. »Ganz vorsichtig, Bob. Ein Gramm auf der falschen Seite und mit mir geht's abwärts!«

Doch Bob hatte das Kabel schon befestigt.

»Los! Zieht jetzt, so fest ihr könnt!«

Justus und Peter

packten zu und legten das Kabel um einen Eisenpfeiler. Der Wagen war nun gesichert und der Absturz schien verhindert.

Erst jetzt löste sich bei den anderen die Starre und fast gleichzeitig rannten alle auf sie zu. Nur Jim Norton stand regungslos hinter seiner Kamera und filmte unaufhörlich.

Burns öffnete die Tür, nahm die Perücke vom Kopf und kletterte aus dem Wagen: »Nun braucht ihr auch nicht mehr zu kommen. Die Jungs hier haben alles im Griff. Toll, da hab ich um mich herum ein Profiteam aus Hollywood und wenn es drauf ankommt, retten mich drei Knirpse aus Rocky Beach.« Dann ging er auf Bob zu und reichte ihm die Hand. »Danke, Jungs!«

Alle begannen zu applaudieren und Bob wurde verlegen. »War doch klar, dass wir helfen«, sagte er.

Jerry Blake hob die Zigarre auf und nahm sein Megafon in die Hand: »Für alle Pause bis zum Mittagessen.«

Der Wagen wurde von der Rampe gerollt und Alan Burns öffnete sofort die Haube.

»Was ist denn nun eigentlich passiert?«, wollte Justus wissen.

Burns betrachtete den Jeep und schüttelte den Kopf: »Ich weiß es nicht. Plötzlich begann der verdammte Motor zu stottern. Bei so einer Sache muss man den Stunt sofort abbrechen. Das ist das Erste, was wir lernen. Denn der Wagen hätte dann beim Absprung eine zu geringe Geschwindigkeit gehabt und ich wäre irgendwo kopfüber in den Schrottteilen aufgeschlagen. Nur wenn ich so fahre wie berechnet, lande ich halbwegs sanft auf dem Boden.« Dann machte er sich daran, einige Teile im Motorraum abzuschrauben.

»Und wieso fing der Jeep plötzlich an zu stottern?«, hakte Peter nach.

»Das versuche ich gerade rauszubekommen. Genug Benzin war drin, das hab ich vorher alles gecheckt. Ich habe eher das Gefühl, dass irgendwas an der Einspritzanlage nicht ganz in Ordnung war.«

Peter beugte sich über den Kotflügel. Schon oft hatte er zugesehen, wie sein Vater zu Hause am Auto herumbastelte. »Durch die Einspritzdüsen wird das Benzin in die Kolben gepumpt, nicht?«

Burns pfiff durch die Zähne. »Alle Achtung, du kennst dich aus mit Motoren.« Justus und Bob sahen Peter erstaunt an. Der Stuntman fuhr fort: »Er hat Recht und darum ist die Sache auch so empfindlich. Ein Krümel Dreck verstopft die Düsen und der Motor geht aus. Aber normalerweise passiert das nicht, weil da ein Filter vorsitzt.« Kurze Zeit später hatte Alan Burns die Einspritzanlage ausgebaut. »Seht ihr: total verklebt, die Düsen. Da kann ja nichts mehr durchkommen.«

Die drei ??? begutachteten neugierig das ausgebaute Teil. »Und wie kann so was passieren?«, fragte Justus.

»Ich weiß es nicht. Schlechtes Benzin oder was weiß ich – keine Ahnung. Vielleicht hat mir einer auch Zucker in den Tank gekippt.« Als Burns das sagte, musste er lachen.

»Zucker?«, wiederholte Justus und die drei ??? sahen sich ungläubig an.

»Ja, Zucker würde sich auflösen und die heißen Düsen wie Sirup verstopfen. Aber wer käme auf so eine Idee?« Immer noch lachend ging der Stuntman zu den anderen hinter dem Lastwagen, denn es gab bereits Mittagessen.

Justus wartete, bis er verschwunden war: »Habt ihr das gehört? Kommt mit, ich habe einen schrecklichen Verdacht. Ich will mir mal die Stelle angucken, wo der Jeep heute Nacht stand. Ich hab da so ein Gefühl.«

An dem Platz waren die Reifenabdrücke des Stuntautos noch zu erkennen. Justus untersuchte den Boden.

»Und was hoffst du zu finden, Just?«, fragte Peter neugierig.

Justus ging in die Hocke. »Ich weiß es nicht – oder vielmehr doch. Ich glaube, hier ist etwas, das uns weiterbringt.«

Zwischen seinen Fingern hielt er ein kleines Stück Papier. ›Eiscafe Rocky Beach‹, stand darauf. Es war Einwickelpapier für Würfelzucker.

Zuckersüß

Peter und Bob sprachen es gleichzeitig aus: »Zucker im Tank!«

»Genau das vermute ich«, fuhr Justus fort. »Irgendwann hat jemand hier still und heimlich den Tankverschluss vom Jeep geöffnet und Zucker reingeworfen.«

Bob betrachtete das Papierstückchen genauer. »Kommt mit!«, rief er plötzlich aufgeregt und stürmte voran, genau in Tante Mathildas Küche.

Hier saßen sie nur an schlechteren Tagen und aßen Kirschkuchen. Doch das kam nicht oft vor, denn in Kalifornien schien fast immer die Sonne.

»Just, wo hat deine Tante ihren Zuckerpott?«, wollte Bob wissen.

Justus zeigte auf die Vitrine. Bob fand die Dose mit dem Würfelzucker und zeigte darauf: »Seht ihr, was ich sehe«, sagte er stolz.

Peter und Justus staunten. Die Zuckerwürfel waren in dem gleichen Papier verpackt, das sie eben gefunden hatten.

Peter setzte sich auf einen Stuhl. »Ich glaube es nicht. Vor unserer Nase hat jemand zum zweiten Mal den Stunt sabotiert.«

Justus setzte sich neben ihn. »Aber diesmal sind wir dem Täter viel näher als beim ersten Versuch. Oder ich muss besser sagen, den Tätern. Denn ab jetzt gibt es einen zweiten Hauptverdächtigen neben Jerry Blake: Claudia Donnatelli.«

Bob war erschüttert: »Ich kann es nicht glauben. In den Filmen, da ist sie so ...«

Justus unterbrach ihn: »Das ist die Hollywood-Welt. In Wirklichkeit ist die Schauspielerin völlig anders. Wisst ihr noch? Der Streit zwischen ihr und Jerry Blake beim letzten Film? Burns hat es uns erzählt. Die Donnatelli wollte es dem Produzenten irgendwann heimzahlen, weil sie die Rolle nicht bekam. Also: Rache als Motiv. Sie wollte vielleicht den kompletten Film sabotieren.«

Peter nahm ein Stück Zucker aus der Schale und betrachtete es. »Als Tante Mathilda Kuchen spendierte, sahen wir, wie die Donnatelli sich eine Hand voll Zuckerstücke nahm. Und das, obwohl sie so strenge Diät hält. Dann ging sie in einem passenden

Moment zum Jeep und warf den Zucker in den Tank.«

Bob nahm die Brille ab. »Möglich. Genauso gut könnte es Blake getan haben. Er nahm sich auch Zucker aus dem Topf. Obwohl sein Arzt ihm Zucker verboten hat. Sein Motiv mit den Versicherungsgeldern ist uns ja bekannt.«

Justus knetete an seiner Unterlippe: »Es hätte auch jeder andere gewesen sein können. Alle hätten unbemerkt in den Zuckerpott greifen können. Zum Beispiel auch Jim Norton.«

»Wir haben noch immer kein Motiv für ihn. Warum sollte er so etwas tun?«, wollte Bob von Justus wissen.

»Keine Ahnung. Wir sollten anfangen danach zu suchen. Wir müssen jede Möglichkeit in Betracht ziehen!«

Plötzlich stand Peter auf: »Wir sollten auch eine ganz andere Möglichkeit in Betracht ziehen. Zweimal wurde bisher ein Anschlag verübt. Niemand wurde verletzt, die Dreharbeiten gingen stets weiter. Warum sollten der oder die Täter nicht ein drittes Mal zuschlagen?«

»Peter hat Recht«, befand Justus. »Die Sache wird zu gefährlich. Wir haben mittlerweile so viele Verdächtige, dass wir die Kontrolle verlieren können. Vielleicht haben wir sie schon verloren. Um ein Haar hätte es Burns erwischt.«

»Was schlägst du vor, Just?«, fragte Bob.

Justus kramte in seiner Hosentasche und beförderte die Visitenkarte von Kommissar Reynolds zum Vorschein. »Ich glaube, es ist jetzt an der Zeit, die Polizei einzuschalten.«

Peter und Bob waren einverstanden. Im Flur stand das Telefon auf einer kleinen Kommode. Justus wählte die Nummer.

»Kommissar Reynolds«, hörte man am anderen Ende der Leitung.

»Guten Tag, Mister Reynolds. Hier ist Justus Jonas.«

»Ach, die drei vom Schrottplatz? Was gibt es?«

»Wir brauchen Ihre Hilfe.« Diese Worte sagte Justus so ernst, dass der Kommissar sofort reagierte: »Okay, ich komme sofort.«

»Hoffentlich haben wir nicht zu lange gezögert«, überlegte Peter, als Justus den Hörer auflegte.

In diesem Moment hörten sie von draußen einen lauten Knall. »Jetzt ist es passiert!«, schrie Peter.

Showdown

Als sie auf die Veranda stürmten, erleuchtete ein heller Blitz den Schrottplatz. Gleich darauf hörten sie einen mächtigen Donnerschlag. Und dann prasselte der Regen schwer vom Himmel. Peter seufzte erleichtert auf. Ein ganz normales Gewitter zog vom Pazifik über Rocky Beach hinweg. Die Filmleute eilten fluchend über das Gelände. Keiner hatte daran gedacht, die Kameras und Geräte abzudecken, denn Regen ist in Kalifornien sehr selten.

»Seht zu, dass nichts nass wird«, krächzte Jerry Blake durchs Megafon. »Das Zeug ist sauteuer und für Regenschäden zahlt die Versicherung keinen Cent! Denkt zuerst an die Kameras!«, kommandierte der Produzent und die drei ??? liefen spontan in den Regen, um zu helfen.

Jim Norton versuchte verzweifelt seine Kamera zu schützen, doch der Wind riss immer wieder die Folie weg.

»Los, da drüben werden wir gebraucht!«, rief

Peter und zeigte auf ihn. Mit vereinten Kräften schafften sie es, das teure Gerät abzudecken. Alle vier trieften vor Nässe.

»Kommt mit unter die Rampe, da ist es trocken!«, brüllte Norton ihnen über das Donnergrollen zu. Er packte eine Tasche unter seinen Pullover und rannte voraus.

Kurz darauf saßen alle vier auf alten Blechkisten und wischten sich das Wasser aus dem Gesicht.

»Danke. Ohne euch hätte ich es nicht geschafft. Übrigens, mein Name ist Jim Norton. Ich bin verantwortlich für alle Kameras auf dem Set.« Er gab jedem die Hand. »Das, was ihr heute Morgen gemacht habt, das war unglaublich. Ich dachte, Alan stürzt ganz sicher ab, bis ihr die Sache gerettet habt. Das war richtig realer Wahnsinn. Ich meine, das war nicht gespielt oder geplant, das war echt. Und wisst ihr was? Ich habe alles mitgefilmt. Jede einzelne Sekunde. Nur schade, dass am Ende nicht noch der Wagen von der Rampe … Ich meine, was für ein Glück.« Norton lachte nervös. Dann hängte er die Tasche an einen der großen Sicherungsbolzen über sich.

»Ist es schwer, Kameramann zu werden?«, fragte Peter. Er interessierte sich für alles, was mit Technik zu tun hatte.

»Nein, es gibt Tausende, die es geworden sind. In Hollywood hat man das Gefühl, jeder Zweite ist einer. Aber es gibt nur ganz wenige, die es schaffen, die wirklich wichtigen Sachen zu filmen. Alle machen das Gleiche. Jemand läuft von links nach rechts und der arme Kameramann muss hinterher. Und wenn es nicht geklappt hat, dann wiederholt man die Szene eben. Ich mach das jetzt schon seit zwanzig Jahren.« Der Regen ließ langsam nach.

Justus beobachtete den Kameramann und dachte sehr lange über seine folgende Frage nach: »Wenn Sie einen Wunsch frei hätten, was würden Sie gern noch mal filmen?«

Jim Norton strich durch sein nasses Haar. »Das kann man gar nicht genau sagen. Damals, 1937, als der Zeppelin Hindenburg in Lakehurst abstürzte, da gab es einen Kameramann, der alles aufgenommen hat. Wahnsinn! Der wusste vorher auch nicht, was ihn da erwartet. Mit seinen Bildern wurde er berühmt. Weil er eine echte Katastrophe gefilmt hat. Wahnsinn! Echter Wahnsinn! Auf so etwas warte ich.« Inzwischen hatte es aufgehört zu regnen und Jim Norton ging wieder zu seiner Kamera. »Und nochmals schönen Dank, dass ihr mir geholfen habt.«

Bob stand auch auf und äffte ihn nach: »›Wahnsinn, echter Wahnsinn‹ … Der Typ hat sie doch nicht mehr alle auf der Pfanne.« Justus und Peter stimmten ihm zu.

Mittlerweile hatte Alan Burns den Jeep repariert. Er saß am Steuer und ließ den Motor immer wieder kurz aufheulen.

»Diesmal kann nichts schief gehen, Jungs!«, rief er ihnen entgegen.

»Und wenn Sie die Sache lieber verschieben?«, schlug Justus vor.

Er erntete aber nur ein Lachen von Burns. »Verschieben? Kannst das ja mal Jerry Blake vorschlagen. Der stülpt dir sein Megafon über den Kopf.«

Kurz darauf nahmen alle wieder ihre Plätze ein. Burns fuhr die Straße hoch, die Männer mit den Feuerlöschern standen bereit und Jerry Blake blickte nervös umher: »He, Jim, wo bleibst du? Geh an deine Kamera!«

Jim Norton kam hektisch unter der Rampe rausgelaufen und hielt seine Tasche in der Hand: »Die hab ich eben in der Aufregung vergessen!«, rief er zurück.

Peter sah zur Toreinfahrt: »Wo bleibt eigentlich Kommissar Reynolds?«

Dann ging alles sehr schnell. Burns hob den Daumen zum Zeichen, dass er startklar war, und Jerry Blake sah auf seine Uhr. Die drei ??? standen mittlerweile wieder auf der Veranda.

»Okay, behaltet alles im Auge. Uns darf nichts entgehen!«, flüsterte Justus eindringlich.

Plötzlich blickte Peter wie erstarrt zur Rampe.

»Hast du was entdeckt?«, fragte Bob.

Jerry Blake nahm das Megafon in die Hand und brüllte hinein: »Und Action!« Alan Burns gab Gas.

»Was ist denn nun?«, wiederholte Bob seine Frage.

»Der Bolzen ... der eine Bolzen ...«, stammelte Peter und rannte los.

»Ist der verrückt geworden?«, stieß Justus hervor.

Peter schlängelte sich durch die Schrotthaufen und gelangte unbemerkt unter die Rampe. Der Jeep jagte die Straße hinunter.

»Von was hat er da eben gefaselt? Was für ein Bolzen?« Doch dann entdeckte auch Justus, was Peter gesehen hatte. Direkt unter der Rampe fehlte an der Hauptstütze der Sicherungsbolzen. Das zwanzig Zentimeter lange Eisenteil baumelte an einer kleinen Kette genau daneben.

»Peter ist wahnsinnig! Der will den Bolzen wieder reinstecken!«, schrie Justus Bob zu. Der Jeep preschte bereits durch das Tor. Jim Norton schwenkte aufgeregt seine Kamera mit.

»Ohne den Bolzen kracht die Rampe auf Peter. Und Burns knallt in einen Schrotthaufen!« Justus und Bob hielten die Luft an. Jeder Versuch, jetzt noch einzugreifen, wäre zu spät gekommen.

Peter hörte, wie der Jeep näher kam. Ihm blieben nur noch Sekunden. Mit einem Satz hechtete er zur Stütze und griff nach dem Bolzen. An der Vibration der Rampe erkannte er, dass Alan Burns gleich über ihn hinwegrasen würde. Die Stahlplatten begannen zu zittern. Mit letzter Kraft reckte sich Peter nach oben. Er presste die Lippen zusammen und stieß den Bolzen in die Öffnung.

Überflieger

Da donnerte auch schon der Jeep über ihm. Sekundengenau drückte der Stuntman auf die Fernbedienung. Eine riesige Explosion zerriss den Brandsatz. Flammen fauchten in die Luft. Das Auto schoss über die Rampe hinaus und dann war plötzlich alles still. Wie ein Geschoss jagte der Wagen durch die Luft, das Feuer hinterließ eine schwarze Rauchfahne. In einem hohen Bogen flog Alan Burns vierzig lange Meter über die Schrotthaufen.

Jerry Blake verfolgte den Flug und biss auf seine Zigarre. Justus und Bob zitterten am ganzen Körper. Peters Knie gaben nach und er sackte am Eisenpfeiler zusammen.

Dann berührten die Vorderräder des Jeeps wieder den Boden. Staub wirbelte auf, Blechteile flogen durch die Luft und die Frontscheibe zersplitterte in tausend Teile. Der Wagen sprang noch zwei-, dreimal hoch, bevor er endgültig zum Stillstand kam. Alles war eingehüllt in Qualm und Staub. Die beiden Männer in den silbernen Schutzanzügen rann-

ten auf den Wagen zu und löschten den Brandsatz mit den Feuerlöschern. Und dann sah man Alan Burns: Er riss die Arme hoch und trat aus dem Nebel. Er war überglücklich.

»Schnitt! Schnitt! Schnitt! Sagenhaft! Super! Alan, du bist wahnsinnig! Wir lieben dich! Hörst du, wir lieben dich alle!« Jerry Blake brüllte in sein Megafon und sprang vom Stuhl auf. Die ganze Filmcrew rannte auf den Stuntman zu und applaudierte. Selbst Claudia Donnatelli stand vor ihrem Wohnmobil und klatschte zaghaft in die Hände.

»Jim! Jim! Hast du alles im Kasten?«, rief Blake seinem ersten Kameramann zu.

»Ja, ja, hab ich. Wie immer«, sagte Norton. Er wirkte etwas verstört.

Justus und Bob stürzten zu Peter hinüber. Niemand aus der Filmcrew hatte mitbekommen, was unter der Rampe geschehen war.

»Alles klar bei dir?«, keuchte Justus. Bob half Peter vom Boden auf: »Ist noch alles an dir dran, du irrer Held?« Peter klopfte sich den Dreck vom T-Shirt: »Natürlich, alles klar. Nur eins ist wirklich schrecklich.«

»Was ist schrecklich? Sag schon, Peter!«, schnaufte Justus atemlos.

Peter holte tief Luft und grinste: »Ich habe vom Stunt nichts gesehen.«

In diesem Moment kam ein Polizeiwagen auf das Grundstück gefahren. Kommissar Reynolds stieg aus. »Hallo, Jungs, was gibt es denn so Wichtiges?«

Die ganze Filmcrew stand zu diesem Zeitpunkt um Alan Burns herum und feierte ihn. Nur Jim Norton verstaute seine Kamera und blickte aus der Ferne unsicher auf den Polizisten.

Justus ergriff das Wort: »Kommissar Reynolds, hier ist eben ein Anschlag verübt worden.«

»Es scheint aber, dass keiner darüber sehr unglücklich ist?«, schmunzelte der Kommissar und deutete auf die Leute um Alan Burns.

»Wir konnten den Anschlag in letzter Sekunde verhindern«, warf Peter ein und betonte das ›wir‹. Dann berichtete er von dem herausgezogenen Bolzen und der Beinah-Katastrophe.

Reynolds wurde jetzt sehr ernst: »Und warum seid ihr euch so sicher, dass der Bolzen nicht schon vorher fehlte?«

Justus antwortete: »Wir sind die Letzten, die ihn an der richtigen Stelle sahen. Jim Norton hat sogar noch seine Tasche daran gehängt. Er war es auch, der kurz vor dem Stunt noch einmal unter die Rampe lief, um diese Tasche zu holen.«

»Wer von denen ist Jim Norton?«, wollte Reynolds wissen. Bob zeigte auf den Kameramann. Der Kommissar setzte seine Dienstmütze auf und ging auf Norton zu. »Dann werden wir dem Herrn mal einige Fragen stellen.« Justus, Peter und Bob liefen hinter ihm her. Mittlerweile nahm auch der Rest der Filmcrew Notiz von dem Polizisten.

Jim Norton war immer noch dabei, mit zittrigen Händen seine Geräte einzupacken. Als ihn der Kommissar ansprach, zuckte der Kameramann zusammen und blickte erschrocken auf. »Sind Sie Jim Norton?«, befragte Reynolds ihn.

»Ja, der bin ich. Aber was ... ich meine, wieso ...«

Der Polizist sah ihm unverwandt in die Augen: »Mir wurde eben von einem herausgezogenen Bolzen berichtet. Einem Anschlag. Sie sollen der Letzte gewesen sein, der sich unter der Rampe aufgehalten hat?«

Langsam bildete sich ein Kreis von Neugierigen um sie. Viele begannen zu tuscheln.

Norton standen Schweißperlen auf der Stirn: »Das … kann ich erklären …« Er schluckte schwer. »Ich … ich wollte nur … meine Tasche hing noch … ich will sagen …« Weiter kam er nicht. Vor den Augen der Zuschauer brach er zusammen und vergrub sein Gesicht in den Händen. Sein Körper wurde von einem Heulkrampf geschüttelt: »Ich wollte nur … nur ein einziges Mal etwas filmen, das mich berühmt macht … etwas Reales … Was hab ich da getan! Ich habe nicht nachgedacht … es kam alles so plötzlich … ich weiß nicht, was über mich kam …«

»Halt die Klappe!«, schrie Alan Burns ihn an. »Um ein Haar hättest du mich umgebracht.« Der Stuntman war außer sich vor Wut: »Und du Dummkopf hattest deine dreckigen Finger bestimmt auch an den Feuerlöschern. Jetzt wird mir einiges klar. Das mit dem Zucker im Tank geht wahrscheinlich ebenfalls auf dein Konto. Du bist wahnsinnig!«

Die letzten Worte hörte der Kameramann schon gar nicht mehr, denn Reynolds schob ihn bereits auf den Rücksitz des Polizeiautos. Der Kommissar schüttelte den Kopf: »Die anderen Geschichten kann der Verrückte ja dann auf der Wache ausplaudern. Unglaublich, da produziert er eine Katastrophe, nur um sie filmen zu können.«

Wenige Minuten später wurde Jim Norton von einem zweiten Streifenwagen abgeholt. Reynolds blieb noch auf dem Schrottplatz. »Na, da habt ihr ja ganze Arbeit geleistet«, lobte er die drei ???. »Ich brauche gleich noch eine vollständige Zeugenaussage von euch. Also noch mal: Hut ab, meinen Glückwunsch.«

Inzwischen stand Alan Burns neben Peter: »Ich glaube, ich muss mich bei dir bedanken. Ohne dich wäre ich jetzt nicht mehr am Leben. Du hast was gut bei mir ... so sagt man unter Stuntmännern.«

Peter blickte verlegen auf seine beiden Freunde, als Alan Burns ihm die Hand reichte.

Jerry Blake zündete sich zufrieden eine Zigarre an. »Ich sage immer: Hauptsache, alles gut versichert.« Dann lachte er und brüllte zufrieden Anweisungen durchs Megafon.

Claudia Donnatelli fächelte sich Luft zu. »Also so etwas. Das kann es auch nur in Hollywood geben. Bin ich froh, dass man den Schuldigen geschnappt hat. Da bin ich aber wirklich froh. Du meine Güte.«

Vergleichstest

Plötzlich durchzuckte erneut ein Blitz den Himmel. Donner folgte und wieder prasselte Regen aus den Wolken. Alle sahen sich erstaunt an: Ein zweites Gewitter in so kurzer Zeit, das war unüblich für Kalifornien. Schnell suchten alle Schutz auf der Veranda. Dort fand sie kurz darauf Tante Mathilda, die mit Onkel Titus aus der Stadt zurückkam: »Kommen Sie schnell herein! Bei uns im Haus sitzen Sie alle im Trockenen.«

Das ließ sich niemand zweimal sagen. Reynolds klopfte sich den Regen von der Polizeimütze. »Jungs, ihr könnt mir die Geschichte gleich nach dem Wolkenbruch weitererzählen.«

Tante Mathilda öffnete die Haustür: »Die Schuhe lassen Sie bitte auf der Veranda. Ich will keinen mit den nassen Schuhen auf meinem Teppich sehen! Vielleicht hab ich noch Kirschkuchen.« Dann waren alle im Haus verschwunden – selbst Claudia Donnatelli!

»Los, wir stellen uns im Schuppen unter!«, rief Justus seinen beiden Freuden zu.

»Wie? Du verzichtest auf Kirschkuchen?«, grinste Bob.

»Lach nicht, wir müssen schnell beraten, wie es weitergeht.«

Kurz darauf saßen alle drei in der kleinen Holzhütte auf einer alten Kiste. Der Regen prasselte auf das Blechdach.

»Denkt ihr das Gleiche wie ich?«, schnaufte Justus.

Bob nickte. »Das denke ich. Jim Norton hat den Bolzen herausgezogen. Aber bei den anderen beiden Anschlägen bin ich mir nicht so sicher.«

Peter gab ihm Recht: »Der hat überhaupt nicht die Nerven einen Plan auszuhecken. Das mit dem Bolzen war eine spontane Idee. Und hinterher war er völlig fertig. Vor Zittern würde der niemals einen Feuerlöscher leer sprühen können. Geschweige denn die Sache mit den Zuckerwürfeln.«

Die drei ??? waren sich einig: Mindestens ein weiterer Täter saß gerade bei Tante Mathilda und aß Kirschkuchen.

Bob wischte seine Brille trocken: »Meiner Meinung nach hat Jerry Blake die Sache mit den Feuerlöschern auf dem Gewissen und die Donnatelli ist die mit dem Zuckerwürfel.«

»Oder umgekehrt. Oder Blake beides oder Donnatelli beides«, fuhr Justus fort.

»Oder Burns war es selbst. Oder Onkel Titus oder Tante Mathilda zusammen mit Kommissar Reynolds«, grinste Bob.

»Hört doch auf! Vermutungen haben wir genug. Was wir brauchen, sind Beweise«, stöhnte Justus. Plötzlich klatschte er sich an seine regennasse Stirn: »Mann, wir haben in der Hektik fast unseren wichtigsten Beweis vergessen. Und wir sitzen auch noch drauf. Den Gipsabdruck!« Aufgeregt zog er den weißen Klumpen aus der Kiste, auf der sie saßen.

Peter war begeistert. »Natürlich! Und jetzt können wir zuschlagen: Alle Schuhe stehen auf der Veranda. Wir brauchen nur die Abdrücke zu vergleichen und zack, haben wir den Täter. Zumindest den mit dem Feuerlöscher.«

Bob klopfte Peter auf die Schulter: »Genau. Und weil du die Idee hattest, rennst du schnell los und erledigst das.«

Peter zeigt ihm einen Vogel.

»Unsinn, wir gehen alle gemeinsam«, schlichtete Justus. Sie stapften über den aufgeweichten Platz und schlichen triefnass auf die Veranda. Vor ihnen lagen aufgereiht sämtliche Schuhe der Filmcrew.

»Wir fangen von links an und arbeiten uns durch«, flüsterte Justus. Ein Schuh nach dem anderen wurde gegen den Gipsabdruck gehalten.

»Und wenn der Täter heute andere Schuhe anhat?«, fragte Bob leise.

Keiner gab ihm darauf eine Antwort.

Von drinnen vernahm man lachende Stimmen. Plötzlich wurde die Haustür geöffnet und Justus ließ blitzschnell den Gipsabdruck unter seinem T-Shirt verschwinden. Jerry Blake stand vor ihnen. »Was macht ihr denn, bitte schön, hier?«

Die drei ??? hielten die Luft an. Fieberhaft grübelten alle nach einer Ausrede. Gerade wollte Bob erzählen, dass sie die Schuhe putzen wollten, als Justus ihm zuvorkam: »Und was machen Sie hier?«, fragte er frech zurück.

Der Produzent war sichtlich irritiert. »Ich ... äh ... ich wollte mir eine Zigarre anstecken. Drinnen ist Rauchverbot.« Dann schüttelte er den Kopf und drehte sich um. »Aber ich seh schon, hier ist besetzt. Verrückte Jungs ...«

Als er wieder verschwunden war, flüsterte Bob seinen beiden Freunden zu: »Ich glaube, dem ist nicht ganz wohl in unserer Nähe.« Dann verglichen sie hastig wieder die Schuhe mit dem Gipsabdruck. Es waren nur noch wenige übrig.

»Wartet mal, dieser könnte es sein«, stellte Peter aufgeregt fest. Die drei ??? verglichen das Profil von dem Schuh Zentimeter für Zentimeter.

»Das könnte er nicht nur sein, das ist er eindeutig!«, jubelte Bob.

»Psst, nicht so laut!«, zischte Justus. Aber er stimmte Bob zu: »Der ist es hundertprozentig. Schnell, legt ihn wieder hin. Es ist das vierte Paar von rechts.«

Endeinstellung

Kurz danach saßen sie wieder im Schuppen.

»Und wie geht's jetzt weiter?«, fragte Peter.

Justus legte behutsam den Gipsabdruck auf den Boden: »Auf jeden Fall war es ein hellbrauner Herrenschuh. Claudia Donnatelli fällt somit für den Anschlag mit dem Feuerlöscher aus. Eigentlich bleibt nur noch Jerry Blake übrig. Wir müssen Reynolds einweihen. Ich werde das übernehmen.«

»Und wenn Blake wieder mit seiner Zigarre auf der Veranda steht? Dann läufst du ihm direkt in die Arme«, gab Peter zu bedenken.

»Hm. Das stimmt. Ich werde über das Schuppendach klettern. Mein Fenster steht noch offen. Dann muss ich Reynolds nur noch allein sprechen können.«

Minuten später winkte Justus dem Kommissar unauffällig von der Tür zu. »Kommissar Reynolds, ich muss ganz dringend mit Ihnen reden!«

Reynolds sah verblüfft auf, kam aber bereitwillig mit in den Flur. Dort erzählte Justus die ganze Geschichte ...

Kurze Zeit später ließ der Regen nach. Da auch der Kirschkuchenvorrat längst vernichtet war, ließen sich alle von Tante Mathilda nach draußen drängen.

Justus ging mit dem Kommissar auf die Veranda und beide blickten gespannt auf das vierte Paar Schuhe von rechts. Peter und Bob kamen aus dem Schuppen zu ihnen geschlendert.

Als einer der Letzten verließ Jerry Blake das Haus. »Ende gut, alles gut«, lachte er, beugte sich hinunter und griff zielstrebig nach den hellbraunen Herrenschuhen.

Kommissar Reynolds schritt auf ihn zu. »Entschuldigen Sie, Mister Blake, sind das Ihre Schuhe?«, fragte er ihn direkt.

Der Produzent sah ihn verständnislos an: »Natürlich sind das meine. Ich werde ja wohl noch meine eigenen Schuhe wieder erkennen. Oder haben Sie die gleichen?« Dann lachte er und wollte sich eine Zigarre anstecken.

»Hiermit sind Sie vorläufig festgenommen, Mister Blake. Es besteht der begründete Verdacht, dass Sie den Unfall mit den Feuerlöschern verursacht haben. Sie waren in der Nacht auf dem Schrottplatz, haben die Spuren beseitigt und die Tonne weggeschafft. Leider hinterließen Sie Ihre Fußabdrücke. Ich darf Sie aus diesem Grund bitten mitzukommen!« Der Kommissar legte ihm die Hand auf die Schulter und der Produzent erstarrte. Kreidebleich stand er da.

Justus erkannte seine Chance: »Und man hat Sie fotografiert, als Sie heimlich Würfelzucker von meiner Tante in den Tank geschüttet haben.«

Peter und Bob sahen Justus erstaunt an.

Blake senkte den Kopf: »Das mit dem Zucker wisst ihr also auch. Dann bleibt mir anscheinend nichts anderes mehr übrig.« Plötzlich riss er sich los und sprang die Treppe hinunter.

»Stehen bleiben!«, schrie Reynolds.

Doch Blake dachte nicht daran. Trotz seines Übergewichts rannte er wieselflink über den Schrottplatz und gelangte zu dem roten Jeep. Noch bevor Reynolds ihn erreichen konnte, setzte sich der Produzent hinein, startete den Motor und gab Gas.

»Schnell! Der haut ab«, stieß Peter hervor und sprintete dem Wagen hinterher. Auf der Veranda stand Alan Burns und kratzte sich verblüfft am Kopf: »Mir geht das hier alles ein bisschen zu schnell. Aber weit kommt er mit der Karre nicht. Da ist nur noch ein halber Liter Sprit drin.«

Und tatsächlich: Kurz vor der Toreinfahrt begann der Motor zu stottern und der Wagen blieb stehen. Blake ließ sich jetzt widerstandslos von Reynolds festnehmen.

Tante Mathilda verfolgte das Geschehen mit Onkel Titus vom offenen Küchenfenster aus: »Also, was die sich nicht alles ausdenken beim Film. Jetzt spielt unser Kommissar auch schon mit. Na, ob ich mir das Theater im Kino angucken werde, ich weiß nicht.«

Die drei ??? grinsten sich an, als sie das hörten.

»Ich glaube, der Fall ist gelöst«, stellte Justus fest, als sie zu Reynolds gingen. »Blake hat zweimal zugeschlagen und Norton einmal. Jeder ist da, wo er hingehört, und Claudia Donnatelli ist unschuldig.«

»Habe ich von Anfang an gewusst. So eine Frau macht das niemals. Die hat halt nur eine Schwäche für alles Süße«, lachte Bob.

Blake wurde gerade von Reynolds mit dem Kopf voran in den Streifenwagen gesteckt. Er warf einen hasserfüllten Blick auf die drei ???.

Der Kommissar wandte sich an Justus, Peter und Bob: »Ihr seid mir schon Teufelskerle. Aber eine Sache müsst ihr mir noch verraten. Wo kommt denn plötzlich das Foto mit Jerry Blake und dem Zucker her? Ohne diesen Beweis hätte der Produzent die Geschichte mit dem Tank niemals gestanden!«

Peter und Bob blickten erwartungsvoll auf Justus. Der knetete seine Unterlippe und grinste: »Ein Foto? Hab ich das gesagt? Hm, dann hab ich mich wohl versprochen. Aber macht nichts, die Stelle können wir nachträglich rausschneiden – schließlich sind wir ja hier beim Film.«

In ihrem nächsten Abenteuer versuchen Justus, Peter und Bob einen Erfinder zu retten. Er hat sich mit einer Zeitmaschine ins Jahr 1864 katapultiert und kommt nicht mehr zurück.

STECKBRIEF

Name:
Justus Jonas

Alter:
10 Jahre

Adresse:
Rocky Beach, USA

was ich mag:
essen, lesen, unbeantwortete Fragen + Rätsel aller Art, Schrott

was ich nicht mag:
wenn ich Pummelchen genannt werde, für Tante Mathilda aufrä

was ich mal werden will:
Kriminologe

Kennzeichen:
das weiße Fragezeichen

ST

Na

Alt

Adr

was ich mag:
schwimmen,
Justus und

was ich nicht mag:
für Tante Ma
räumen, Ho

was ich mal werden
Profisportler,
100 Jahre al

Kennzeichen:
blaues Frag

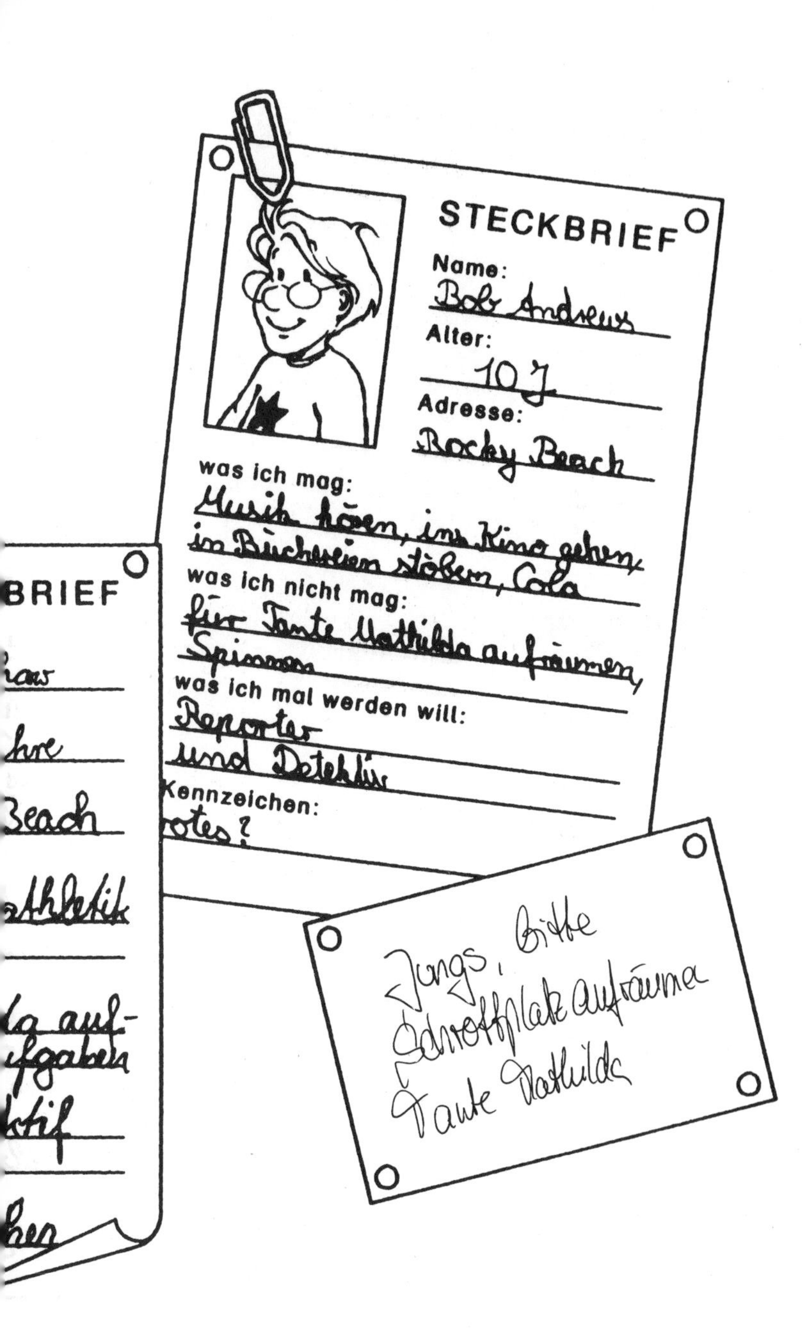
STECKBRIEF
Name:
Bob Andrews
Alter:
10 J.
Adresse:
Rocky Beach
was ich mag:
Musik hören, ins Kino gehen, in Büchereien stöbern, Cola
was ich nicht mag:
für Tante Mathilda aufräumen, Spinnen
was ich mal werden will:
Reporter und Detektiv
Kennzeichen:
Jungs, Bitte
Schrottplatz aufräumen
Tante Mathilda

Spannung pur mit den ???® *Kids!*

Panik im Paradies
ISBN 978-3-423-**70809**-8

Radio Rocky Beach
ISBN 978-3-423-**70810**-4

Invasion der Fliegen
ISBN 978-3-423-**70873**-9

Chaos vor der Kamera
ISBN 978-3-423-**70885**-2

Flucht in die Zukunft
ISBN 978-3-423-**70909**-5

Gefahr im Gruselgarten
ISBN 978-3-423-**70923**-1

Gruft der Piraten
ISBN 978-3-423-**70980**-4

Nacht unter Wölfen
ISBN 978-3-423-**70981**-1

SOS über den Wolken
ISBN 978-3-423-**71160**-9

Spuk in Rocky Beach
ISBN 978-3-423-**71161**-6